Melissa Heckscher
Emily Sikking
gynécologue-obstétricienne

les femmes enceintes ne se posent pas que des questions ridicules

MARABOUT

introduction
La grossesse, c'est pas de la tarte

La grossesse est un moment passionnant dans la vie d'une femme, mais c'est aussi une période angoissante car une femme enceinte est en permanence confrontée à toutes sortes de questions essentielles et urgentes : « Puis-je faire de la gym ? » *(bien sûr)*, « Puis-je boire un verre de vin ? » *(en certaines occasions, peut-être)*, « Puis-je manger du thon aux épices ou craquer pour de la pâte à biscuit crue, ingrédient que l'on retrouve dans de nombreuses crèmes glacées » ? *(réponse : ce ne sont pas de bonnes idées !)*

En résumé, vous vous demandez si vous pouvez continuer à mener la vie que vous meniez avant d'être enceinte sans mettre en danger la santé de votre futur bébé ? *La réponse est oui, mais avec quelques petits ajustements.*

Attendre un bébé est une grande responsabilité et notre livre est là pour vous aider à bien vivre ces quelques mois.

Nous sommes deux vraies spécialistes de la question. Pendant sa grossesse, Melissa fut une femme enceinte complètement parano et stressée, et aujourd'hui, c'est une maman... toujours aussi parano et stressée. Quant à Emily, elle est gynécologue obstétricienne et a une grande expérience des grossesses. Dans ce petit livre pratique, nous nous efforçons de répondre à quelques-unes des questions les plus importantes, fréquentes, gênantes, stressantes, obscures et parfois paranos sur la grossesse et la naissance que les femmes se posent.

Mi-jeu, mi-ordonnance, ce livre est une combinaison d'informations médicales et de conseils de médecins. Les questions sont celles que les auteurs, leurs amies enceintes ou leurs patientes se sont elles-mêmes posées un jour, ainsi que celles que l'on retrouve les plus fréquemment sur les forums de discussion sur la grossesse. Les réponses proviennent de différentes sources, notamment de très nombreux articles sur la recherche scientifique ainsi que d'Emily, grande experte en la matière.

Si, par exemple, vous vous demandez si vos parties intimes ont une chance de sortir indemnes de la salle d'accouchement, allez directement à la page 241. Si vous voulez savoir si votre gros ventre inhibera tout désir sexuel, jetez un coup d'œil page 237, et si vous vous demandez s'il vaut mieux remettre à une date ultérieure un tour sur les montagnes russes ou un saut en parachute, reportez-vous aux pages 9 et 179. Vous trouverez la réponse à ces questions et à bien d'autres tout au long de ce livre.

L'objectif de ce quiz est de vous informer en vous amusant. Ce n'est pas un concours, il n'y a ni score à battre ni gros lot à gagner ! Vous pouvez le lire comme un roman ou l'aborder comme un jeu et en profiter pour informer votre conjoint ou tester vos collègues sur leurs connaissances de la méthode Lamaze d'accouchement sans douleur ou sur les cours de préparation à l'accouchement.

L'essentiel est de vous amuser, non seulement en lisant ce livre, mais aussi pendant toute la durée de votre grossesse.

Profitez-en et profitez de votre bébé ! Oui, c'est vrai être enceinte, c'est stressant, et mettre au monde un bébé est une grande responsabilité. Oui, durant neuf mois vous devez surveiller tout ce que vous buvez, mangez et, même tout ce que vous faites. Mais ne vous laissez pas envahir par l'angoisse, des parents heureux font des enfants heureux. Et souvenez-vous que votre grossesse n'est que le début d'une longue, merveilleuse et incroyable aventure.

1

Que se passe-t-il si je bois de l'alcool alors que je ne sais pas que je suis enceinte ?

- ☐ **a.** Cela risque de retarder la croissance du bébé.
- ☐ **b.** Il ne se passera probablement rien, mais arrêtez de picoler.
- ☐ **c.** Il y a des risques de malformations néonatales.
- ☐ **d.** Cela ne causera pas de dommage à votre bébé, mais comme votre corps ne peut pas traiter l'alcool du fait de la grossesse, cela risque d'endommager votre foie.

RÉPONSE

b. Le cerveau d'un bébé ainsi que ses autres organes commencent à se développer à partir de la 5e semaine de grossesse (c'est-à-dire une semaine après la date prévue des règles et environ une semaine après que le test de grossesse que vous avez fait à la maison a indiqué que vous étiez enceinte). Si vous renoncez au mojito avant cette période cruciale, il ne devrait pas y avoir de problème, et même si vous consommez de l'alcool un peu au-delà, il y a de fortes chances pour que votre bébé soit en bonne santé. Cependant, il est préférable de pratiquer l'abstinence à partir du moment où vous savez que vous êtes enceinte. Un verre de vin bu occasionnellement ne causerait probablement pas de dommages au fœtus mais certaines études scientifiques ont tout de même démontré qu'une quantité d'alcool même faible pouvait provoquer des fausses couches. On sait aussi qu'une grande consommation d'alcool durant la grossesse provoque le SAF, le *Syndrome d'Alcoolisation Fœtale*. Ce syndrome se traduit par un physique caractéristique : les bébés qui en souffrent ont le visage aplati, un retard de croissance et des difficultés d'apprentissage.

Plus vous consommez d'alcool, plus le danger est élevé.

Selon les spécialistes, les femmes qui consomment sept verres d'alcool ou plus par semaine et celles qui pratiquent le *binge drinking* font courir les risques les plus importants au fœtus. Le binge drinking, anglicisme que l'on pourrait traduire par « hyperalcoolisation », est un véritable fléau de santé publique qui vient des pays anglo-saxons. Il consiste à boire le plus d'alcool possible en un minimum de temps afin d'atteindre l'ivresse.

2

Que se passe-t-il si je tombe enceinte sous pilule ?

☐ **a.** Les hormones supplémentaires risquent d'affecter le développement sexuel du bébé.

☐ **b.** Les hormones ne sont pas dangereuses au contraire des produits chimiques.

☐ **c.** Il n'y a pas de risques à condition d'arrêter la pilule dès que vous savez être enceinte.

☐ **d.** La grande quantité d'œstrogènes contenus dans la pilule risque de rendre votre bébé très émotif.

RÉPONSE

C. Selon les spécialistes, 1 à 5 % des femmes ignorant qu'elles sont enceintes utilisent des contraceptifs oraux dans les premiers jours de leur grossesse, et exposent ainsi leur bébé aux œstrogènes artificiels destinés à prévenir la conception. Mais il a été prouvé que prendre une pilule contraceptive pendant la grossesse n'augmentait pas les risques d'anomalies congénitales. On a pu craindre, dans le passé, que certains contraceptifs oraux, notamment ceux qui contenaient de fortes doses d'hormones, affectaient le développement des organes sexuels du bébé, mais aujourd'hui les pilules faiblement dosées ne font pas courir ce genre de risque. Cela dit, nous vous conseillons d'arrêter votre pilule contraceptive dès que vous savez que vous êtes enceinte. Une étude de 2009 a démontré que les femmes qui continuaient à prendre leur pilule après le premier trimestre de grossesse couraient plus de risques d'accoucher avant terme ou d'avoir un bébé pesant un poids inférieur à la moyenne. Si vous avez pris la pilule avant de savoir que vous étiez enceinte et que vous l'arrêtez dès que votre grossesse est connue, il y a de grandes chances pour que celle-ci se passe bien. Mais si vous êtes inquiète, demandez à votre médecin de pratiquer une échographie pour vérifier que le bébé se développe bien, qu'il est en bonne santé et que tout est normal.

3

Puis-je faire un tour de montagnes russes ?

☐ **a.** Bien sûr, du moment que vous ne tombez pas !

☐ **b.** Non, les virages brutaux risquent de provoquer un enroulement du cordon ombilical autour du cou du bébé et d'interrompre son alimentation en sang et en oxygène.

☐ **c.** Non, les accélérations et les arrêts brusques du manège risquent d'entraîner un décollement du placenta, ce qui est dangereux pour le bébé et pour vous-même.

☐ **d.** Non, les soudaines montées et descentes du grand huit vont secouer votre bébé au point d'affecter son développement cérébral.

RÉPONSE

C. La force d'attraction exercée sur l'utérus d'une femme lors d'un tour sur les montagnes russes est aussi puissante que si elle était victime d'un accident de voiture. Les chocs, les secousses, les accélérations et les arrêts brutaux risquent de provoquer la séparation du placenta de l'utérus qui va entraîner une interruption de la circulation de l'oxygène et des nutriments vers le bébé. C'est ce que l'on appelle un « décollement placentaire », c'est une urgence médicale tant pour la mère que pour l'enfant.

Il y a moins de risques de décollement placentaire dans les 12 premières semaines de grossesse car, à ce stade, le placenta n'est pas complètement développé et donc risque moins d'être déplacé. Si *vraiment vous ne pouvez pas vous passer des parcs de loisirs*, autorisez-vous une sortie en tout début de grossesse, mais contentez-vous, jusqu'à la naissance de votre bébé, des attractions pour enfants, manèges, balançoires et grande roue, qui sont sans danger dans votre état.

Une fois que votre bébé sera là, soyez sûre que vous connaîtrez un autre genre d'attraction !

4

Quelles sont les causes des nausées matinales ?

- ☐ **a.** Les nausées et les vomissements sont une façon pour votre corps d'essayer de rejeter le bébé.
- ☐ **b.** Ce que vous mangez profite en priorité à votre bébé, aussi vous êtes sous-alimentée, d'où les nausées.
- ☐ **c.** De nombreuses femmes modifient complètement leur alimentation durant leur grossesse, ce qui provoque des problèmes gastriques.
- ☐ **d.** Les causes restent inconnues, mais les nausées sont probablement liées aux hormones.

RÉPONSE

d. Les scientifiques n'ont aucune certitude sur les causes des nausées matinales mais la majorité d'entre eux pense qu'elles sont liées à la brutale élévation, en début de grossesse, du taux d'hormones nécessaires au développement du placenta et à la croissance du fœtus.

Voilà ce que l'on sait :

- elles concernent uniquement les grossesses chez les humains ;
- elles ne se produisent pour la plupart des femmes que le matin ;
- elles sont souvent provoquées par l'odeur et le goût d'aliments ou produits à l'origine de nausées matinales que l'on soit enceinte ou pas, comme la fumée de cigarette et l'alcool ;
- elles atteignent un pic entre la 6e et la 18e semaine de grossesse, période pendant laquelle le fœtus est particulièrement sensible aux produits chimiques toxiques.

Toutes ces indications incitent certains scientifiques à penser que les nausées matinales sont un mécanisme d'adaptation destiné à mettre en garde la femme enceinte contre les dangers que certains produits et aliments feraient courir à son bébé.

Avoir envie de vomir uniquement en sentant l'odeur d'un alcool fort par exemple est une arme de dissuasion très efficace pour vous tenir éloignée du bar !

Environ deux tiers des femmes enceintes subissent l'épreuve des nausées matinales, si vous faites partie du tiers restant, vous avez de la chance !

5

Je n'ai pas de nausées matinales. C'est grave docteur ?

- ☐ **a.** Vous attendez un garçon.
- ☐ **b.** Votre corps est peu sensible aux changements hormonaux dus à la grossesse.
- ☐ **c.** Vous courez plus de risques de faire une fausse couche ou d'avoir une grossesse difficile.
- ☐ **d.** Vous ne mangez pas assez.

RÉPONSE

b. Cela fait longtemps que les médecins répètent que les nausées matinales sont le signe d'une grossesse qui se déroule bien, mais ne pas souffrir de nausées ne signifie pas que votre grossesse n'est pas normale. Plus d'un tiers des femmes enceintes n'ont pas de nausées matinales (les nausées se produisant souvent le matin, voir question précédente) et les études scientifiques ont démontré qu'elles ne couraient pas plus de risque que les autres, notamment en ce qui concerne les fausses couches.

Alors comment expliquer que deux femmes sur trois passent le premier trimestre de leur grossesse à vomir alors que le tiers restant se porte comme un charme ? Sans doute parce que nous sommes toutes différentes. On pense que les nausées sont causées par un pic du taux d'œstrogènes en début de grossesse. Sachant que le taux d'hormones avant la grossesse varie d'une femme à une autre, une augmentation brutale peut parfaitement affecter davantage certaines femmes.

En résumé, si vous ne passez pas les premières semaines de votre grossesse avec des hauts-le-cœur dès le saut du lit, remerciez la nature !

6

Mes nausées font-elles souffrir mon bébé ?

☐ **a.** Votre bébé ne souffre pas quand vous vomissez mais des vomissements excessifs peuvent provoquer d'autres problèmes.

☐ **b.** Dans les cas les plus graves, les muscles de l'estomac se contractent tellement que cela peut priver le bébé d'oxygène.

☐ **c.** Des spasmes très intenses risquent de déclencher des contractions et le travail de l'accouchement même si vous êtes encore loin du terme.

☐ **d.** Le développement cérébral de votre bébé risque d'être touché car le fait de vomir sollicite votre corps tout entier, et notamment l'utérus.

RÉPONSE

a. Rassurez-vous : quelle que soit la violence de vos nausées, votre bébé est bien protégé derrière la barrière musculaire de l'utérus. Exactement comme lorsque vous effectuez une séance d'abdos, les muscles de votre estomac se contractent quand vous vomissez, d'où la sensation de douleur. En revanche, il est essentiel que vous vous hydratiez. Buvez de l'eau pour compenser tous les liquides que vous éliminez en vomissant. La déshydratation est dangereuse tant pour vous que pour votre bébé. Si vos nausées sont tellement fortes que vous ne pouvez avaler ni liquide ni solide, appelez votre médecin. Cet état, vécu par 1 à à 2 % des femmes enceintes, est connu sous le nom d'*hyperemesis gravidarum*, ou vomissements incoercibles. Il présente un danger pour la mère et pour l'enfant à naître. Les cas les plus graves nécessitent une hospitalisation pour alimenter et réhydrater la future maman grâce à la pose d'un dispositif intraveineux.

Contactez votre médecin si :

- vos vomissements s'accompagnent de fièvre ou de douleurs ;
- les nausées et les vomissements se poursuivent au-delà du premier trimestre de grossesse ;
- vous constatez des signes de déshydratation comme une intolérance à la lumière vive ou des urines rares ou foncées ;
- vous perdez du poids.

Mais ne vous inquiétez pas : en règle générale, les nausées matinales disparaissent vers la 18e semaine de grossesse.

Vrai ou faux

Vous pouvez tomber enceinte alors que vous l'êtes déjà.

RÉPONSE

Vrai. Ce phénomène, appelé « superfétation », se produit quand une femme ovule deux fois lors d'un même cycle mensuel. Cette deuxième ovulation peut entraîner l'implantation d'une nouvelle grossesse dans un utérus qui contient déjà une grossesse en développement. La superfétation est différente de la grossesse gémellaire qui est le développement simultané de deux fœtus dans le même utérus.
La superfétation est très rare : on a recensé seulement dix cas dans le monde. Parmi ceux-ci, citons ce couple d'Anglais, Amelia Spence et George Herrity, qui en 2007 ont conçu deux filles à trois semaines d'intervalle.
Plus récemment, en 2009, dans l'Arkansas (U.S.A) Todd et Julia Grovenburg ont conçu deux bébés, un garçon et une fille, à deux semaines et demi d'intervalle.

8

Vrai ou faux

Un bébé qui se développe
en dehors de l'utérus
ne peut pas survivre.

RÉPONSE

Faux. Un fœtus peut se développer en dehors de l'utérus mais il y a peu de chances qu'il survive.
Les grossesses extra-utérines, également appelées « grossesses ectopiques », se produisent quand un œuf fertilisé embryonnaire se développe hors de la cavité utérine, soit dans une des trompes de Fallope, soit, plus rarement, dans l'ovaire.
Habituellement, de telles grossesses ne vont pas à terme, la femme fait une fausse couche car l'embryon ne peut se développer normalement, ou bien la grossesse est interrompue médicalement en raison du risque mortel qu'encourt la mère.
Il y a toutefois des exceptions : en 2008, une Australienne de 34 ans a donné naissance avec deux semaines d'avance à une petite fille qui s'était développée dans ses ovaires et qui pesait 2,8 kg à la naissance. Les médecins n'avaient pas décelé qu'il s'agissait d'une grossesse extra-utéirne parce que la femme n'aurait pas montré de signes de grossesse ectopique et qu'à l'échographie, l'emplacement du fœtus n'était pas clair.
Au tout début, il n'est pas forcément évident de distinguer une grossesse extra-utérine d'une grossesse normale, mais à mesure que la première avance, il est difficile de passer à côté. Les symptômes associés à une grossesse extra-utérine sont des douleurs abdominales ou pelviennes, des saignements noirâtres, des douleurs pendant les rapports sexuels, un teint pâle, des vertiges, des évanouissements, et des douleurs irradiant jusqu'aux épaules en raison de l'hémorragie sous le diaphragme.

9

D'après mon médecin, mon bébé ne pèse que 500 grammes alors pourquoi ai-je pris 7 kg ?

☐ **a.** L'augmentation du volume sanguin, du poids de vos seins et des réserves graisseuses pour le bébé pèse lourd.

☐ **b.** La grossesse ralentit le métabolisme.

☐ **c.** Le placenta pèse 6,5 kg.

☐ **d.** Vous avez abusé des sucreries et du grignotage.

RÉPONSE

a. Pendant la grossesse, vous n'allez pas prendre uniquement des kilos à cause de la croissance de votre bébé car il n'y a pas que lui qui se développe !

Vers la 10e semaine, à cause des fluctuations hormonales, vos seins vont peser entre 500 grammes et un kilo de plus. Vous allez sans doute prendre 3 kg supplémentaires, correspondant à des réserves graisseuses destinées au bébé au cas où vous sauteriez des repas, et 3,7 kg environ de volume sanguin et de rétention d'eau.

Vous aurez ainsi pris en fin de grossesse entre 10 et 14 kg, ce qui donne en moyenne 13 kg répartis ainsi :

- Bébé : entre 3 kg et 3,7 kg.
- Placenta : environ 0,650 kg.
- Liquide amniotique : 0,8 kg.
- Utérus : 1 kg.
- Seins : 1 kg.
- Volume sanguin maternel : 1,250 kg.
- Rétention d'eau : 2 kg.
- Réserves de graisse maternelles : 3,3 kg.

Rassurez-vous : si vous avez évité de craquer pour des sucreries ou des chips (ce ne sont que des exemples), l'augmentation de votre poids est temporaire.

10

Je ressens des spasmes étranges dans le ventre.

- ☐ **a.** Votre bébé fait une attaque.
- ☐ **b.** Votre bébé fait des prout.
- ☐ **c.** Votre bébé a le hoquet.
- ☐ **d.** Votre bébé tousse.

RÉPONSE

C. Entre la 24e et la 28e semaine, la plupart des femmes enceintes commencent à ressentir de drôles de soubresauts rythmés qui ne sont que les hoquets de leur bébé. Il n'y a pas lieu de s'inquiéter : le hoquet est aussi commun quand on est à l'air libre que dans l'utérus. En fait, de nombreux médecins pensent même que c'est un signe de bonne santé des systèmes nerveux et respiratoires du fœtus.

On ne sait pas de façon certaine pourquoi ces épisodes de hoquet se produisent, mais les médecins sont en général d'accord pour dire que la plupart sont provoqués par le fait que le fœtus avale ou respire le liquide amniotique (ce qui est normal). Le flux de liquide est inspiré et expiré par les poumons, le diaphragme se contracte à son tour d'où le hoquet. Hors de l'utérus, c'est aussi la contraction du diaphragme qui cause le hoquet.

Nous allons vous donner une autre raison d'aimer ces petits soubresauts dans votre ventre. En 2007, une étude a émis l'hypothèse suivante : les hoquets permettraient en fait de réguler les battements du cœur du fœtus durant le troisième trimestre de la grossesse. Alors, si cela n'est pas très agréable pour vous, dites-vous que c'est pour le bien de votre bébé !

D'un autre côté, nul n'a démontré que l'absence de hoquet était un signe de problème. Certains fœtus peuvent avoir plusieurs crises de hoquet par jour alors que d'autres n'en ont pas une seule.

11

Mon bébé prend de plus en plus de place dans mon corps, que se passe-t-il pour mes organes ?

- ☐ **a.** Ils rétrécissent pour faire de la place au bébé.
- ☐ **b.** Ils se déplacent pour faire de la place au bébé.
- ☐ **c.** L'intestin raccourcit durant la grossesse.
- ☐ **d.** La vessie est le seul organe qui rétrécit durant la grossesse, les autres organes ne bougent pas.

RÉPONSE

b. Vos organes, en effet, font tout naturellement de la place au bébé à naître. On peut avoir du mal à croire que notre corps, si plein, puisse accueillir un être humain : c'est pourtant le cas et le corps de la femme est conçu pour cela. Les organes qui occupaient l'espace situé en dessous de votre cage thoracique vont se déplacer pour permettre au bébé de grandir. C'est l'appareil intestinal qui fait le plus gros du travail, car c'est lui qui occupait le plus d'espace avant votre grossesse. Plus votre bébé grandit, plus votre estomac va monter vers vos côtes alors que votre vessie va être poussée vers le bas, en direction du rectum. Ces deux organes vont aussi temporairement diminuer en volume, ce qui explique à la fois les fréquentes brûlures d'estomac et les envies d'uriner répétées.

12

Pourquoi est-ce que je fais pipi quand je ris ?

☐ **a.** La grossesse provoque des infections urinaires.

☐ **b.** La taille de l'urètre augmente à cause de la grossesse, ce qui favorise les fuites.

☐ **c.** Quand vous riez, cela énerve bébé.

☐ **d.** L'utérus repose sur la vessie, il appuie dessus quand vous riez, toussez ou éternuez.

RÉPONSE

d. Lorsque vous riez, vos muscles abdominaux se tendent et votre utérus, qui est situé juste au-dessus de votre vessie pousse vers le bas ce qui peut provoquer une petite perte d'urine.
Tousser, éternuer ou recevoir un coup de pied du bébé un peu plus violent que d'habitude peut produire le même effet.
Malheureusement, vous ne pouvez pas faire grand-chose pour empêcher ces fuites urinaires.
Celles-ci doivent cependant s'arrêter après la naissance du bébé et des exercices Kegel (exercices de renforcement du périnée) quotidiens peuvent aider les choses à rentrer dans l'ordre. Il suffit de contracter les mêmes muscles que ceux que vous utilisez pour interrompre le flot d'urine et de maintenir la contraction cinq à dix secondes. Entraînez-vous à faire une série de dix exercices plusieurs fois par jour.

13

Les coups de pieds du bébé risquent-ils d'endommager mes organes internes ?

- ☐ **a.** Non, mais si votre bébé mesure plus de 50 centimètres, un coup de pied violent peut rompre le sac amniotique et déclencher un travail prématuré.
- ☐ **b.** Oui. À force de vous donner des coups de pied, votre bébé va finir par vous perforer les poumons.
- ☐ **c.** C'est possible. Si le bébé a la tête en bas, il peut d'un coup de pied vous casser une côte.
- ☐ **d.** Les coups de pied ne causeront aucun dégât mais risquent seulement de vous faire faire pipi dans votre culotte.

RÉPONSE

d. Votre utérus est suffisamment résistant pour protéger à la fois votre bébé et vos organes internes même en cas de mouvement très énergique de sa part. D'accord, vous êtes en droit de vous demander pourquoi il, ou elle, s'entraîne à la boxe sur votre vessie, mais rassurez-vous : même si les coups vous paraissent puissants, ils ne peuvent abîmer vos organes.
Cela ne veut pas dire que ce n'est pas douloureux. Des coups de pied ou de poing peuvent faire mal à la vessie, au col de l'utérus ou aux intestins. Un direct aux côtes vous coupe brutalement la respiration, un uppercut à la vessie vous met dans une situation gênante. Mais heureusement cela ne peut pas déclencher un accouchement prématuré, ni provoquer de complications. Les coups de pied s'arrêtent vers la fin de la grossesse quand le bébé n'a presque plus de place pour bouger.

14

Quand je regarde un film au niveau sonore élevé, mon bébé bouge, pourquoi ?

- ☐ **a.** Parce qu'un fort niveau sonore lui fait mal aux oreilles.
- ☐ **b.** Les vibrations sonores créent des bulles dans le liquide amniotique.
- ☐ **c.** Le bébé entend parfaitement et réagit au bruit.
- ☐ **d.** Pour toutes les raisons énoncées ci-dessus.

RÉPONSE

C. De nombreuses femmes enceintes constatent que leur bébé réagit aux bruits extérieurs.
Et même si cela ne veut pas dire qu'il a peur ou qu'il est inquiet de ce qui se passe sur l'écran, il est incontestable qu'il l'entend. À partir de la 28e semaine, l'ouïe de votre bébé est complètement développée, et ce que vous entendez, surtout si c'est un son Dolby Digital, il l'entend aussi. S'il bouge soudain lorsque vous êtes au cinéma, c'est probablement parce qu'un bruit l'a tiré de son sommeil et qu'il s'étire. Et si vous regardez un film d'horreur ou d'action et que vous sursautez, il est fort possible qu'il fasse lui aussi un bond. C'est normal et votre bébé ne court aucun risque.

15

Vrai ou faux

Mon bébé peut érafler ou percer la poche des eaux.

RÉPONSE

Faux. Bien que la paroi de la poche des eaux paraisse très fine à l'échographie, elle est capable de résister même au bébé le plus costaud. Elle est suffisamment souple et flexible pour s'adapter aux cabrioles, ainsi qu'aux coups de pieds et de poings. Et même si les ongles de bébé poussent pendant sa croissance, le liquide amniotique dans lequel il baigne les assouplit de sorte qu'il ne se blesse pas et ne risque pas d'égratigner la poche des eaux. Lorsque celle-ci se rompt, ce n'est pas parce que le bébé l'a déchirée, c'est parce que la naissance est imminente.

16

Mon ventre est couvert de bleus, pourquoi ?

☐ **a.** La poche des eaux s'est rompue.

☐ **b.** Vous vous êtes cognée.

☐ **c.** Ce sont les coups de pieds trop puissants de votre bébé.

☐ **d.** Vous attendez des jumeaux.

RÉPONSE

b. Des bleus sur le ventre ne sont pas rares durant la grossesse, en particulier au troisième trimestre. Votre ventre est proéminent et lorsque vous vous déplacez, vous avez tendance à vous cogner. *C'est comme si vous aviez une grosse pastèque attachée sur le ventre.* Si des bleus apparaissent sur votre ventre c'est probablement parce que vous avez heurté un obstacle. Inutile de vous inquiéter tant que ce n'était pas un choc violent (si c'était le cas, vous devez vous en souvenir).

Les bleus peuvent aussi être la manifestation du développement de votre ventre avec la croissance du bébé. Certains des vaisseaux sous la peau se déplacent vers la surface et peuvent rompre, causant des hématomes.

Rassurez-vous les hématomes disparaîtront après la naissance.

17

Pourquoi certaines femmes n'ont-elles pas de ventre à 20 semaines de grossesse, alors que d'autres ont un ventre un ballon de basket qui les précède ?

☐ **a.** Cela dépend de la taille du bébé, certains sont plus gros que d'autres.

☐ **b.** Cela dépend de la morphologie et de la forme physique de la femme.

☐ **c.** Cela dépend de l'élasticité de la peau et du ventre.

☐ **d.** Pour toutes les réponses ci-dessus.

RÉPONSE

b. En général, les femmes qui sont en bonne condition physique durant leur première grossesse, n'ont quasiment pas de ventre avant 20 semaines.
La seconde grossesse se voit plus tôt, entre la 12e et la 18e semaine.
Si vous avez un petit ventre, réjouissez-vous et profitez-en : cela ne va pas durer. Quand vous aurez un gros ventre, vous verrez que tous les actes de la vie quotidienne – dormir, marcher et se lever du lit – pour n'en citer que quelques-uns, sont beaucoup plus difficiles.
Voici les facteurs pouvant expliquer pourquoi certaines femmes enceintes promènent déjà à 20 semaines un beau ballon de basket :

- *Suralimentation* : une femme qui mange plus de calories qu'elle n'en brûle grossit plus vite.
- *Grossesse multiple* : une femme qui porte plusieurs bébés a logiquement un ventre qui grossit plus et plus rapidement.
- *Petite taille* : une grossesse se voit plus tôt chez une femme de petite taille que chez une femme grande.
- *Ballonnements* : ils sont très fréquents quand on est enceinte. Curieusement, pour y remédier, il faut boire beaucoup d'eau. Constipation et ballonnements sont les conséquences normales d'un transit paresseux. Celui-ci ralentit en réponse à la montée de la progestérone, l'hormone de la grossesse qui entraîne un relâchement de l'ensemble des muscles des intestins qui sont par ailleurs comprimés par l'utérus qui augmente de volume.

18

Est-ce que le bébé fait caca dans mon ventre ?

☐ **a.** Seulement en cas de détresse fœtale ou de naissance au-delà du terme.

☐ **b.** Cela peut se produire si vous mangez trop de fibres.

☐ **c.** Cela prouve que le cordon ombilical a un problème.

☐ **d.** Non, les bébés ne font caca qu'après leur naissance, quand ils ont du lait dans l'estomac.

RÉPONSE

a. Les premières selles du bébé, appelées *méconium*, sont une substance épaisse et verdâtre constituée de ce que l'enfant a ingurgité durant la dernière période de la vie intra-utérine : le mucus, la bile, des cellules intestinales, du lanugo – le fin duvet qui recouvre son corps et disparaît en général avant la naissance – et du *vernix caseosa* (substance cireuse d'origine sébacée blanchâtre et grasse et recouvrant la peau des nouveaux nés).
L'évacuation du méconium se fait après la naissance mais chez 12 % des bébés, elle se fait avant la naissance. Cela se produit le plus souvent dans les grossesses de plus de 40 semaines mais cela peut apparaître avant.
La présence de méconium avant la naissance est un signe de détresse fœtale considérée comme une urgence médicale. Par ailleurs, si le fœtus inhale le produit amniotique contaminé par le méconium, il y a un risque de problèmes respiratoires pouvant conduire à une détresse respiratoire fatale. Dans les pays développés, il est très rare qu'un bébé meure du syndrome d'aspiration méconiale (SAM) car si les médecins suspectent la présence de méconium dans le liquide amniotique, ils déclenchent, en général, l'accouchement. Si, au moment où vous perdez les eaux, vous notez une couleur noirâtre, appelez votre médecin ou rendez-vous le plus vite possible à l'hôpital.

19

Le fœtus ressent-il la douleur ?

- ☐ **a.** Non. Les récepteurs de la douleur ne se développent qu'après la naissance.
- ☐ **b.** Non. L'intelligence nécessaire à la compréhension de la douleur ne se développe qu'à partir de 6 mois.
- ☐ **c.** Oui, mais probablement à partir seulement du troisième trimestre.
- ☐ **d.** Oui. Il est capable de ressentir la douleur dès que le cerveau et la moelle épinière sont développés, autour de la 5e semaine de grossesse.

RÉPONSE

C. D'après les scientifiques, le fœtus peut ressentir la douleur. Toutefois, selon Mark Rosen, obstétricien anesthésiste à l'université de Californie à San Francisco, et anesthésiste de la première intervention chirurgicale sur un fœtus, la conscience de la douleur n'existe qu'à partir de la 28e semaine de gestation (ce qui correspond à votre 30e semaine de grossesse).

C'est un débat d'actualité, car les militants anti-avortement sont persuadés que le fœtus ressent la douleur à partir de la 18e semaine, et font pression auprès des médecins pour qu'ils anesthésient le fœtus en cas d'avortement tardif. Il est vrai qu'à 18 semaines, on a observé des fœtus réagissant au contact du scalpel, mais le Dr Rosen attribue cette réaction à un réflexe et non pas à une sensation de douleur.

En 2005, le Dr Rosen et ses collègues ont examiné plus de 2 000 articles parus dans la presse médicale soutenant les deux thèses. Ils en ont conclu que bien que les récepteurs de la douleur commencent à se former à partir de la 8e semaine, la partie du cerveau qui transmet les informations et qui pourrait permettre au fœtus de ressentir la douleur et pas seulement de réagir, n'est pas formée avant le troisième trimestre.

20

Parmi ces actions, quelle est celle qui risque de déclencher des coups de pied de la part de mon bébé ?

- ☐ **a.** Sauter 10 fois en l'air.
- ☐ **b.** Manger quelque chose de sucré.
- ☐ **c.** Caresser mon ventre avec une plume.
- ☐ **d.** Croquer une glace.

RÉPONSE

b. Imaginons que vous êtes assez avancée dans votre grossesse pour ressentir les mouvements de votre bébé (en général entre la 16e et la 22e semaine), voici ce qui peut déclencher des coups de pied de la part du bébé :

- *Manger du sucre* : faites l'expérience suivante, consommez des sucres rapides, comme un verre de jus d'orange ou une barre de céréales, votre bébé va se réveiller. Puis, mangez des sucres lents, comme un morceau de pain, cela le maintiendra éveillé suffisamment longtemps pour que vous sentiez ses mouvements.
- *Manger épicé* : cela aussi c'est radical !
- *Écouter de la musique* : on sait que les fœtus réagissent au son. Pour le vérifier, placez deux écouteurs sur votre ventre et enclenchez la touche Play.
- *Se reposer* : il suffit que vous vous allongiez calmement un moment pour commencer à percevoir les mouvements de votre bébé.
- *Toucher son ventre* : certains bébés répondent à la caresse, ou à un petit tapotement, en bougeant.
- *Visionner des films d'action* : les films comportant de nombreuses explosions peuvent faire bouger votre bébé.

21

Vrai ou faux

Un fœtus hyperactif,
c'est super !

RÉPONSE

Vrai. Un bébé actif est un bébé heureux. Et c'est quand il ne bouge plus dans votre ventre que vous devez vous inquiéter ! Chaque bébé est différent. Certains bougent toute la journée, d'autres seulement en réponse aux activités de leur maman – par exemple, ils se réveillent quand leur maman mange quelque chose de sucré ou se repose. Mais n'oubliez pas que votre bébé bouge aussi en dormant : ses mouvements peuvent vous laisser penser qu'il est bien réveillé mais ce n'est peut-être pas le cas. Aucune étude scientifique n'a établi un lien entre l'activité intra-utérine et l'activité après la naissance. Alors ce n'est pas parce que votre tout-petit passe ses journées à faire des acrobaties dans votre ventre que ce sera une terreur quand il pointera le bout de son nez !

22

Dans votre ventre, votre bébé peut voir :

☐ **a.** Les variations de lumière.

☐ **b.** Pas grand-chose, à plus de 5 centimètres de son nez : il est myope comme une taupe.

☐ **c.** Rien du tout. Les yeux des bébés ne s'ouvrent qu'après la naissance.

☐ **d.** Rien du tout, il fait noir comme dans un four là-dedans.

RÉPONSE

a. Les yeux du fœtus s'ouvrent vers la 28e semaine de gestation. Bien que nous ne connaissions pas précisément l'étendue de leurs capacités visuelles, les scientifiques s'accordent sur le fait qu'ils voient tout de même quelque chose. Des études ont démontré qu'à partir de la 30e semaine de gestation, lorsque l'on approche une lumière vive du ventre d'une femme enceinte, le fœtus a un mouvement de recul. Il est probable que le bébé ne perçoive que le changement de nuance, car il vit dans l'obscurité. Le bébé perçoit une lueur à travers la paroi de l'utérus, comme nous, lorsque nous fermons les paupières lors d'une belle journée ensoleillée.
La question de savoir si le bébé voit autre chose – ses propres mains devant son visage ou bien le cordon ombilical flottant à côté de lui – n'est pas tranchée, bien que des études réalisées sur des grossesses gémellaires aient montré que les jumeaux dialoguent avant la naissance, ce qui laisse supposer qu'ils se voient peut-être dans l'utérus.

23

Vrai ou faux

Les fœtus peuvent pleurer.

RÉPONSE

Vrai. Les images d'échographie ont montré que des fœtus âgés de 28 semaines étaient capables de pleurer silencieusement en réponse à un stimulus sonore. Pour en savoir davantage, des chercheurs ont placé un haut-parleur sur le ventre d'une femme enceinte et diffusé des sons d'une puissance de 90 décibels tout en enregistrant les réactions du fœtus grâce à l'échographie. Ils ont noté une réaction ressemblant aux pleurs d'un bébé, « même la lèvre supérieure tremblait » a expliqué un des pédiatres à la presse.

Cela dit un bébé ne peut pleurer de manière sonore que lorsqu'il est né. Dans le placenta, il est complètement immergé dans le liquide amniotique et comme il n'y a pas d'air dans les poumons, il ne peut pas produire de son. Ce n'est qu'à la naissance que les poumons se dilatent complètement, se remplissent d'air et que bébé pousse enfin son premier cri !

24

Vrai ou faux

C'est la quantité de nourriture que vous absorbez qui détermine le sexe de votre bébé.

RÉPONSE

Vrai et faux. Ce n'est pas une règle absolue, mais des recherche (assez contestées, il est vrai) ont montré que les femmes qui consommaient moins de calories au moment de la conception étaient davantage susceptibles de concevoir une fille que celles qui avaient un solide appétit. Selon plusieurs enquêtes, les femmes qui consommaient quotidiennement un nombre élevé de calories avaient plus de chance de donner naissance à des garçons que celles qui mangeaient peu. Par ailleurs, ce que les femmes mangent au moment de la conception, pourrait aussi jouer un rôle sur le sexe de leur futur enfant. L'étude qui portait sur 740 jeunes mamans, a démontré que les femmes ayant une alimentation riche en potassium avaient plus fréquemment des garçons. On a aussi établi un lien entre la naissance d'un garçon et le fait de manger des céréales au petit déjeuner, bien que l'étude n'ait pas pu déterminer si c'était à cause des céréales elles-mêmes ou bien parce que les femmes ingéraient davantage de calories. En réalité, tout cela ne serait qu'une question d'acidité de la flore vaginale (en rapport lointain avec l'alimentation), plus ou moins susceptible d'accueillir des sparmatozoïdes porteur du gène XX ou XY.
Mais cela dit, il est inutile de mettre les bouchées doubles ou de faire la fine bouche ! L'étude n'a en effet établi aucun lien certain de cause à effet entre le sexe du bébé et l'alimentation de la mère et la plupart des experts s'accordent à dire que la chance d'avoir une fille ou un garçon est de 50-50...

25

Que se passe-t-il si je prends un bain très chaud ?

- ☐ **a.** Vos muscles vont se détendre, ce qui peut provoquer des contractions de l'utérus et potentiellement déclencher un accouchement prématuré.
- ☐ **b.** La température de votre corps va augmenter, ce qui risque de diminuer le flot sanguin vers votre bébé.
- ☐ **c.** Votre corps va arrêter de produire l'hormone indispensable à l'évolution de votre grossesse.
- ☐ **d.** Cela va accélérer la croissance de votre bébé.

RÉPONSE

b. Vous pouvez prendre un bain mais maintenez la température de l'eau en dessous de 37,7 °C, sinon vous risqueriez la surchauffe, ce qui entraînerait une accélération de votre rythme cardiaque et un ralentissement de la circulation sanguine. Cela pourrait stresser votre bébé.

Vous devez en général éviter tout ce qui risque de faire monter votre température corporelle, cela signifie que vous devez non seulement éviter les bains trop chauds, mais aussi les couvertures électriques, les saunas, les bains de vapeur et toute activité par temps chaud. Les douches chaudes sont autorisées car, à la différence des bains, tout le corps n'est pas immergé.

Soyez vigilante et consultez, dès l'apparition des signes suivants : vertiges, faiblesse, frissons, nausées et soif extrême. Les températures élevées sont plus dangereuses en particulier durant le premier trimestre lorsque les organes principaux du bébé se développent.

Si vous avez déjà pris un bain très chaud parce que vous ignoriez qu'il y avait un danger potentiel, ne paniquez pas. Les études montrent que la plupart des femmes sortent d'un bain chaud avant que la température corporelle n'atteigne des niveaux dangereux, pour de simples raisons d'inconfort. Si ce n'est pas le cas, et si vous êtes inquiète, consultez votre médecin.

26

Puis-je prendre des bains moussants et utiliser des sels ou des huiles de bain ?

☐ **a.** Non, ces produits risquent d'attaquer la poche des eaux.

☐ **b.** Non, ces produits peuvent pénétrer dans le sang et causer des défauts de naissance et autres complications.

☐ **c.** Non, ces produits risquent d'irriter votre peau ainsi que votre vagin.

☐ **d.** Oui, c'est sans danger, vous pouvez profiter de ces produits pendant votre grossesse.

RÉPONSE

C. Tant que votre col est fermé et que la poche des eaux ne s'est pas rompue (ce qui est le cas jusqu'à ce que le travail commence), il n'y a aucun risque que ces produits atteignent votre bébé. Mais les bains moussants et autres produits similaires présentent d'autres inconvénients, ils risquent de déséquilibrer le pH vaginal, en s'attaquant aux « bonnes » bactéries, ils laissent les « mauvaises » se développer. Ce déséquilibre provoque des infections vaginales dont les symptômes sont : irritations, écoulements et mauvaises odeurs. Ces produits peuvent aussi entraîner des infections urinaires, car la zone vaginale fragilisée ne joue plus le rôle de barrière protectrice de la vessie contre les bactéries. Certains médecins conseillent même de vider sa vessie avant et après un bain moussant pour réduire les risques d'infection.
Enfin, un dernier mot sur ce sujet : pendant la grossesse, la peau devient parfois plus sensible et les sels de bain, les huiles ou la mousse qui vous laissent d'habitude la peau si douce et sexy risquent désormais de vous causer rougeurs et irritations. Pour diminuer ce risque, utilisez plutôt un produit pour le bain destiné aux peaux sensibles. Ou renoncez momentanément aux bulles !

27

Pourquoi les massages sont-ils déconseillés durant le premier trimestre ?

- ☐ **a.** Les massages libèrent des toxines dans le corps qui risquent de provoquer des problèmes de développement du bébé durant cette période délicate.
- ☐ **b.** Vous risquez de perdre conscience.
- ☐ **c.** À partir du deuxième trimestre de grossesse, les massages sont facturés plus cher par les masseurs.
- ☐ **d.** Les masseurs ne tiennent pas à voir leur responsabilité engagée en cas de fausse couche.

RÉPONSE

d. Frotter certaines parties du corps, à savoir les chevilles et les poignets, peut provoquer des contractions utérines. C'est la raison pour laquelle la plupart des praticiens ne proposent des massages adaptés aux femmes enceintes qu'après le premier trimestre parce que c'est durant les trois premiers mois que se produisent la majorité des fausses couches. Si une femme enceinte faisait une fausse couche le lendemain d'un massage, elle pourrait en rendre responsable le masseur. N'oubliez pas de prévenir que vous êtes enceinte. Sachez toutefois que les massages durant la grossesse ne sont pas a priori dangereux surtout s'ils sont pratiqués par un spécialiste de la thérapie prénatale. Les massages durant la grossesse sont même très bénéfiques car ils aident à réduire l'anxiété et les douleurs musculaires et articulaires, ils permettent de diminuer les gonflements et améliorent la circulation. Toutefois, ils restent déconseillés en cas de :

- grossesses à risque,
- pré-éclampsie, connue aussi sous le nom de « toxémie gravidique ». Cette hypertension artérielle peut apparaître dans la deuxième moitié de la grossesse.
- œdème important,
- hypertension artérielle,
- migraines violentes et soudaines,
- saignements inhabituels.

Enfin, veillez à votre bien être et à votre confort personnel : si vous avez des nausées, demandez au masseur d'éviter d'utiliser des huiles essentielles.

28

Les massages des pieds sont-ils risqués ?

☐ **a.** Oui, de fréquents massages des pieds augmentent le risque d'accouchement par le siège.

☐ **b.** Probablement pas, bien que cela risque de déclencher des contractions utérines.

☐ **c.** Oui, car les hormones de bien-être qui sont libérées dans votre corps risquent d'endommager le cerveau de votre bébé.

☐ **d.** Non, pendant la grossesse les massages des pieds sont inoffensifs.

RÉPONSE

b. Un simple massage des pieds ne vous fait pas courir de risque. En revanche, il existe des points de pression – en particulier entre l'os de la cheville et le talon – qu'il faut éviter au risque de déclencher des contractions utérines. Théoriquement, ces contractions peuvent démarrer le travail ou provoquer une fausse couche. Mais à moins que votre thérapeute masseur ne soit un spécialiste de l'acupressure, technique qui consiste à exercer avec les doigts des points de pression insistants sur les méridiens, il est très probable que cela ne provoquera qu'un léger tremblement de votre paroi utérine. Un massage très doux, même autour de ces zones est donc sans danger. En fait, se faire masser les pieds quand on est enceinte est un excellent moyen de se détendre, de réduire le stress et la fatigue. Vos pieds sont mis à rude épreuve pendant ces mois, c'est sur eux que repose tout votre poids ! Ils méritent bien un peu de douceur !

29

Quels produits de soin dois-je éviter ?

- ☐ **a.** Certaines crèmes et cosmétiques anti-âge.
- ☐ **b.** Les crèmes anti-hémorroïdes.
- ☐ **c.** Tous les produits contenant de la teinture bleue.
- ☐ **d.** Tous les produits contenant des écrans solaires.

RÉPONSE

a. Comme tout ce que vous ingérez, ce que vous mettez sur votre peau peut potentiellement affecter votre bébé. Aussi est-il plus prudent de connaître la composition des produits que vous utilisez. La plupart des produits de maquillage et de soin sont sans danger. Cependant, certains peuvent avoir des effets sur le bébé et sur la mère et doivent donc être employés avec précaution :

- rétinoïdes (connus aussi sous le nom d'Accutane, Differin, Retin-A, Renova, tretinoin, acide rétinoïque, Retinol, Retinyl linoleate, Retinyl palmitate, Tazorac et Avage) utilisés dans le traitement de l'acné et dans la prévention des rides ;
- acide salicylique, utilisé dans le traitement de l'acné ;
- BHA, les Bêta-Hydroxy-Acides, une forme d'acide salicylique utilisé dans certains exfoliants pour lutter contre les rides ;
- auto-bronzants, s'il n'est pas prouvé qu'ils sont sans danger pour les femmes enceintes ;
- crèmes dépilatoires, qui peuvent causer plus d'irritation pendant la grossesse qu'avant ;
- les produits à base de soja (incluant la lécithine, la phosphatidyl Choline et les protéines à texture végétale) qui ont le pouvoir de noircir la peau et d'aggraver le fameux masque de grossesse. Notez que les produits contenant du soja actif n'ont pas cet effet.

30

Une épilation du maillot à la cire est-elle dangereuse ?

- ☐ **a.** Oui, la chaleur de la cire risque d'élever votre température corporelle, ce qui peut être dangereux pour votre bébé.
- ☐ **b.** Oui, les produits chimiques contenus dans la cire peuvent provoquer des malformations.
- ☐ **c.** Pas du tout, mais la grossesse rend votre peau hypersensible, une épilation à la cire risque d'être douloureuse.
- ☐ **d.** Non, mais les poils pubiens sont indispensables pour conserver la chaleur dans votre utérus.

RÉPONSE

C. Une épilation du maillot à la cire ne fera aucun mal à votre bébé mais sera probablement douloureuse pour vous en raison de l'augmentation de votre activité sanguine pendant cette période. L'épilation va en effet activer davantage la circulation sous la surface de la peau et donc augmenter sa sensibilité. C'est pour cette raison que les séances d'épilation à la cire pendant la grossesse sont beaucoup plus douloureuses qu'en temps normal et qu'il y a davantage de risques d'irritations et de ruptures des vaisseaux sanguins. Pour éviter ces problèmes, les esthéticiennes peuvent utiliser de la cire froide, moins agressive pour la peau.
Concernant votre bébé, les risques majeurs en cas d'épilation sont des risques d'infection, à cause de l'utilisation de matériel non stérile ou en raison des minuscules écorchures dues à l'épilation. Vérifiez la propreté des appareils et des ustensiles. L'esthéticienne doit utiliser uniquement une cire à usage unique et ne pas plonger deux fois la raclette dans le bol de cire chaude au risque d'introduire des bactéries dans le bol. Lorsque l'épilation est terminée, nettoyez soigneusement la zone épilée au savon et à l'eau jusqu'à ce qu'irritation et rougeur disparaissent.

31

Les bougies parfumées sont-elles sans risque ?

- ☐ **a.** Non, certains parfums peuvent provoquer des fausses couches.
- ☐ **b.** Aucun risque, mais comme vous êtes enceinte, vous n'en avez plus envie.
- ☐ **c.** Pas de problème, sauf que cela risque d'aggraver un terrain allergique et de vous donner mal au cœur.
- ☐ **d.** Trop risqué, malheureuse ! Les produits chimiques sont dangereux pour bébé !

RÉPONSE

C. Durant la grossesse, votre odorat est surdéveloppé et certaines odeurs peuvent provoquer des nausées. Précisons cependant que les femmes enceintes supportent en général mieux les fragrances sucrées, notamment celles qui imitent l'odeur de certains aliments.

De plus, comme les allergies et l'asthme sont exacerbés durant la grossesse, vos bougies parfumées préférées risquent de déclencher une réaction comme l'irritation des yeux et le rhume des foins. C'est peut-être dû à la fragrance elle-même ou aux infimes particules libérées dans l'air quand la bougie brûle. Ajoutons qu'il a été prouvé que les bougies parfumées appauvrissaient la qualité de l'air.

Il est donc conseillé de prendre quelques précautions :

- Utilisez des bougies à la cire d'abeille plutôt qu'à la paraffine.
- Évitez les bougies à mèches multiples.
- Coupez la mèche à 1 cm avant d'allumer la bougie.
- Allumez les bougies loin des courants d'air pour que la flamme ne vacille pas et que la mèche ne fume pas.
- N'utilisez pas de bougies qui laissent des résidus de suie.
- Ventilez les pièces dans lesquelles brûlent des bougies parfumées.
- Ne brûlez pas de bougie plus d'une heure d'affilée.
- Assurez-vous que la mèche ne contient pas de plomb. Vérifiez attentivement la composition des bougies.

32

Puis-je teindre mes cheveux ?

- ☐ **a.** Uniquement pour passer du blond au brun.
- ☐ **b.** Uniquement pour passer du brun au blond.
- ☐ **c.** Oui, mais nourrissez bien vos cheveux après la coloration car ils deviennent très secs pendant la grossesse.
- ☐ **d.** Oui, mais pas avant la fin du premier trimestre.

RÉPONSE

d. Si les médecins s'accordent à penser que des retouches occasionnelles ne sont pas dangereuses, certains néanmoins conseillent d'attendre la fin du premier trimestre, lorsque les organes principaux du bébé sont formés.
En revanche, selon une enquête suédoise, passer des journées entières au contact de la teinture semble risqué. L'étude a en effet révélé que des coiffeuses avaient plus de risques de mettre au monde des bébés de petite taille ou souffrant de graves malformations : palais fendus, becs de lièvre, problèmes cardiaques, ou *spina bifida*, c'est-à-dire une malformation de la moelle épinière. L'enquête n'exclut pas que ces résultats puissent être dus à d'autres facteurs, comme la station debout et penchée prolongée que nécessite ce métier.
Il est donc plus sage de respecter quelques précautions :

- Portez des gants pour réduire le contact avec les colorants.
- Travaillez dans une pièce bien ventilée pour minimiser l'inhalation de produits chimiques.
- Ne dépassez le temps de pose recommandé sur la notice.
- Utilisez des produits naturels tels que le henné ou des colorants végétaux.

Par ailleurs, si vous avez décidé de colorer vos cheveux, ne vous étonnez pas si la couleur n'est pas exactement celle que vous attendiez. En effet, durant la grossesse, à cause des changements hormonaux, vos cheveux réagissent différemment aux produits chimiques. Enfin, sachez qu'ils poussent plus vite, vous aurez donc besoin de refaire vos racines plus souvent !

33

Puis-je appliquer de l'auto-bronzant sur ma peau ?

- ☐ **a.** Non, cela risque de colorer la peau du bébé.
- ☐ **b.** Non, les auto-bronzants contiennent des ingrédients dont on ignore les effets secondaires.
- ☐ **c.** Oui, mais pas plus d'une fois par semaine.
- ☐ **d.** Oui, mais à vos risques et périls, la couleur finale n'est pas garantie !

RÉPONSE

b. Cela ne veut pas dire que les auto-bronzants sont dangereux mais ces produits n'ont pas été testés suffisamment longtemps pour que l'on soit absolument certain qu'ils sont inoffensifs. Par sécurité, vous éviterez le bronzage artificiel jusqu'à la naissance du bébé.

Ne vous précipitez pas non plus sur les transats de la piscine, les rayons UV empêchent votre corps d'absorber l'acide folique qui est essentiel dans le développement du cerveau et de la moelle épinière du bébé. Par ailleurs, durant la grossesse, la peau est particulièrement sensible et même une courte exposition au soleil peut provoquer un coup de soleil. La meilleure solution : optez pour le naturel ou bien investissez dans un bon auto-bronzant mais... attendez d'avoir accouché !

34

J'ai envie de me faire blanchir les dents, est-ce dangereux ?

☐ **a.** Non, mais vos dents seront plus sensibles aux caries.

☐ **b.** Non, mais elles blanchiront peu.

☐ **c.** Oui, les produits chimiques risquent d'affecter la croissance de votre bébé.

☐ **d.** Vous pouvez essayer, mais la salive d'une femme enceinte contient des enzymes protecteurs qui rendent inefficaces les produits de blanchiment.

RÉPONSE

C. Les études sur les conséquences de l'usage du peroxyde – produit de blanchiment des dents – sont actuellement trop peu nombreuses pour que l'on sache s'il y a un risque sur le développement du fœtus.
C'est pourquoi la plupart des médecins recommandent aux femmes qui envisagent ce type d'intervention de la pratiquer après l'accouchement.
Si malgré tout, vous avez décidé de vous faire blanchir les dents, assurez-vous que le produit qui sera utilisé contient du fluor car la grossesse favorise les caries et les gingivites. Demandez à votre dentiste qu'il vous indique les conséquences du traitement. Les changements hormonaux durant la grossesse peuvent provoquer des inflammations des gencives et les produits de blanchiment peuvent aggraver ces symptômes. Par ailleurs, vos dents risquent d'être plus sensibles après l'intervention.

35

Qu'est-ce que je risque si je porte des talons hauts ?

- ☐ **a.** D'avoir le vertige.
- ☐ **b.** De transpirer des pieds.
- ☐ **c.** Les talons hauts favorisent la formation de caillots de sang.
- ☐ **d.** Rien du tout. Au contraire, cela va raffermir vos muscles pelviens avant l'accouchement.

RÉPONSE

b. Pendant la grossesse, votre cœur fait circuler dans tout votre corps une quantité de sang et d'autres fluides supérieure de 50 % à la normale afin de nourrir votre bébé. Tous ces fluides peuvent provoquer une sudation des mains, des pieds, des chevilles et des jambes, transpiration qui peut être encore aggravée par le fait de marcher sur des talons toute la journée (en particulier, des talons hauts).

Du reste, si vous ne transpirez pas encore des pieds, il est probable que ce sera le cas si vous glissez vos petits petons gonflés dans une paire de Jimmy Choo. Par ailleurs, le port de hauts talons risque aussi d'aggraver les maux de dos courants pendant la grossesse. Enfin, et ce n'est pas le moindre des risques, en étant juchée sur des stilettos alors que votre gros ventre pointe en avant, vous risquez la chute ! À mesure que votre ventre grossit, votre centre de gravité se modifie et marcher devient de plus en plus difficile. Un conseil : jusqu'à la naissance de votre bébé, restez à plat !

Il y a une exception toutefois à ce conseil – à part une invitation à une super-soirée à laquelle il vous semble impensable d'aller, chaussée de ballerines – porter des escarpins de hauteur raisonnable peut soulager votre sciatique.

36

Un piercing génital ou au nombril risque-t-il de compliquer ma grossesse ?

- ☐ **a.** Tout piercing mal cicatrisé peut être cause d'infection, ce qui risque de déclencher un accouchement prématuré.
- ☐ **b.** Un piercing au sein peut stimuler les contractions utérines.
- ☐ **c.** Un piercing sur les grandes lèvres augmente les risques de déchirure au moment de la délivrance.
- ☐ **d.** Un piercing au nombril peut avoir des conséquences sur l'étirement de la peau de votre ventre pendant la croissance du fœtus.

RÉPONSE

a. Pour être sans danger, tout piercing doit être parfaitement cicatrisé, cela dit, vous pouvez décider, le temps de la grossesse, de remplacer votre piercing habituel par un bijou en polytétrafluoroéthylène (c'est-à-dire du plastique souple utilisé pour les implants chirurgicaux.) Vous pouvez aussi l'enlever et le remplacer momentanément par du fil de pêche propre, afin d'empêcher le trou de se refermer.
Si vous portez un piercing qui n'est pas encore complètement cicatrisé, vérifiez-le régulièrement pour éviter qu'il ne s'infecte. Un nouveau piercing est plus sujet aux infections qu'un ancien, ce qui représente un risque potentiel pour votre bébé et peut même déclencher précocement l'accouchement. Si vous remarquez autour du piercing, une zone rouge, chaude, gonflée, un écoulement de pus ou une douleur, prévenez votre médecin. Si vous portez des piercings vaginaux, enlevez-les au moment de l'accouchement et sachez par ailleurs que l'emplacement du piercing risque de se déchirer ou d'être étiré au moment de la délivrance. Les piercings sur les seins ou au nombril peuvent aussi causer des déchirements à mesure que le ventre et les seins grossiront pendant votre grossesse.

37

Pourquoi l'usage du Botox est-il risqué durant la grossesse ?

- ☐ **a.** Il peut provoquer des maladies congénitales.
- ☐ **b.** Il peut provoquer une fausse couche.
- ☐ **c.** Vous serez plus sensible à ses effets durant cette période.
- ☐ **d.** Pour toutes les réponses ci-dessus.

RÉPONSE

d. Ses fabricants eux-mêmes le déconseillent aux femmes enceintes et aux femmes qui allaitent. N'oubliez pas que dans Botox il y a *tox* pour toxine. Utilisée en très petites quantités, cette toxine paralyse les muscles, d'où l'aspect lisse du visage après une injection. Utilisée en grande quantité, cette toxine peut provoquer des maladies graves et même la mort.

Bien que les doses injectées dans le cadre d'une intervention esthétique soient considérées comme sans risque pour la population en général, aucune étude n'a été menée pour savoir si elles pouvaient affecter un fœtus en développement. Toutefois les tests scientifiques menés sur les animaux ne présagent rien de bon : les études conduites sur des rates enceintes montrent un lien entre de nombreuses injections de Botox et un faible poids de naissance et des problèmes de développement osseux. Des lapines enceintes auxquelles on a injecté de fortes doses de Botox ont fait des fausses couches ou ont donné naissance à des lapereaux présentant de nombreuses malformations. Il est vrai que les doses administrées lors de ces tests étaient largement supérieures, proportionnellement, à celles utilisées sur les humains. Quoi qu'il en soit, les médecins conseillent aux femmes enceintes d'attendre d'avoir accouché et terminé la période d'allaitement pour avoir recours au Botox si elles le souhaitent.

Il ne faut pas non plus oublier que, durant la grossesse, votre peau s'étire, du fait de la rétention d'eau, de l'augmentation de la circulation sanguine et des hormones. Vous serez donc naturellement déridée et radieuse !

38

Pourquoi mes mamelons deviennent-ils énormes et marron ?

☐ **a.** Le changement de taille et de couleur permettra à votre bébé de les trouver plus facilement.

☐ **b.** Les hormones colorent la peau, et pas seulement celle des mamelons.

☐ **c.** Les mamelons s'élargissent parce que vos seins grossissent.

☐ **d.** Pour toutes les raisons ci-dessus.

RÉPONSE

d. Pendant la grossesse, toutes les zones déjà plus sombres – grains de beauté, taches de rousseur, aréoles, mamelons ainsi que la ligne qui va du pubis au nombril – s'assombrissent à cause de l'augmentation du taux de progestérone circulant dans votre corps. La raison pour laquelle ce phénomène se produit n'est pas absolument certaine mais la plupart des médecins s'accordent à dire que cela pourrait aider le nouveau-né, qui ne voit pas encore très bien, à trouver les seins de sa maman.

La plupart de ces changements disparaîtront dans les mois qui suivront la naissance de votre bébé, bien qu'il y ait de grande chance pour que vos mamelons ne reprennent pas exactement la même teinte qu'avant votre grossesse. En outre, si les mamelons grossissent, c'est parce que vos seins grossissent. Pendant la grossesse, les femmes prennent au moins une taille de bonnet. Quand vous aurez fini d'allaiter, si c'est le cas, vos seins et vos mamelons reprendront leur taille. Cependant, certaines femmes constatent que leurs mamelons restent plus larges qu'avant la grossesse.

39

Pourquoi des poils poussent-ils autour de mon nombril ?

- ☐ **a.** Les hormones de grossesse colorent les poils et les rendent plus visibles.
- ☐ **b.** Ce sont les coups de pied du bébé qui stimulent les follicules des poils.
- ☐ **c.** Les hormones de grossesse stimulent le système pileux même dans des endroits inattendus.
- ☐ **d.** Il y avait déjà des poils à cet endroit mais vous ne les aviez pas vus parce que votre ventre était moins gros avant.

RÉPONSE

C. La grossesse favorise la pousse des poils et des cheveux. En résumé, il y en a plus, et dans plus d'endroits ! Cette tendance au développement du système pileux est la conséquence de l'augmentation du taux d'hormones circulant dans votre corps. Rassurez-vous : c'est temporaire. Le développement de la pilosité commence en général au premier trimestre pour continuer jusqu'au 9e mois. En plus de l'apparition de poils autour de votre nombril, il se peut que des poils poussent sur votre visage, vos seins, vos bras, vos jambes, et même sur votre dos. Si cet hirsutisme momentané vous déplaît, vous pouvez tout à fait vous épiler à la pince ou à la cire. Évitez en revanche les produits chimiques comme les crèmes épilatoires dont l'innocuité n'a pas été démontrée sur les femmes enceintes. Sachez enfin que pendant ces neuf mois, votre peau est plus sensible qu'avant ce qui signifie que l'épilation sera sans doute plus douloureuse.

40

Est-ce que mon nombril sera toujours de *sortie* même après la naissance du bébé ?

☐ **a.** Oui, c'est pour cela qu'après l'accouchement, les femmes ont tellement envie de sortir elles aussi !

☐ **b.** Non, mais vous pourrez appliquer des crèmes spécial-nombril, sans ordonnance, et tout rentrera dans l'ordre.

☐ **c.** Non, mais votre nombril reprendra naturellement sa place après la naissance.

☐ **d.** C'est différent pour chaque femme.

RÉPONSE

d. Plus votre ventre s'arrondit, plus votre nombril, qui est attaché à la paroi abdominale depuis l'intérieur, pointe. Chez certaines femmes, le changement est à peine visible, chez d'autres, le nombril sort tellement qu'il se voit à travers les vêtements. Comme la plupart des changements physiques qui se produisent durant la grossesse, cela reviendra à la normale après la naissance de votre bébé. Cependant, le nombril sera probablement un peu plus étiré qu'avant. Chez certaines femmes, la grossesse aura aggravé une proéminence déjà existante. Si c'est votre cas et que cela vous gêne, un chirurgien esthétique pourra intervenir et pratiquer ce que l'on appelle une ombilicoplastie.

41

Quelle est la conséquence de la grossesse sur mes implants mammaires ?

- ☐ **a.** Votre ventre va, en grossissant, les déplacer.
- ☐ **b.** Rien. Les seins grossiront naturellement.
- ☐ **c.** À cause des implants, vos seins ne pourront pas grossir naturellement.
- ☐ **d.** Ils risquent de se rompre à cause des montées de lait.

RÉPONSE

b. Implants ou pas, vos seins vont grossir en même temps que votre ventre. Cette croissance est due à la rétention d'eau, à la graisse supplémentaire et au développement des glandes galactogènes, celles qui donnent le lait. Ce processus n'affecte en rien le placement ou la constitution des implants. En fait, les implants offrent même certains avantages, sans jeu de mot, après la naissance et l'allaitement, car, contrairement aux seins naturels qui en général s'affaissent en perdant taille et volume, les implants ne subissent pas de modification. Cela ne veut pas dire que si vous avez des implants, vos seins ne s'affaisseront pas mais cela sera moins visible et ils n'auront pas le fameux aspect gant de toilette.

42

Pourquoi mes cheveux naturellement bouclés sont-ils raides depuis que je suis enceinte ?

☐ **a.** Les hormones de grossesse affectent les cheveux et la peau.

☐ **b.** La déshydratation, courante durant la grossesse dessèche les cheveux bouclés.

☐ **c.** Tous les nutriments que vous absorbez nourrissent le bébé en priorité, au détriment de votre propre corps.

☐ **d.** Comme vous, vos cheveux sont fatigués et ils manquent d'énergie pour boucler.

RÉPONSE

a. Pendant leur grossesse, les femmes dont les cheveux bouclent d'habitude, se retrouveront peut-être avec des baguettes de tambour, et vice versa, les brunes seront encore plus brunes et les blondes encore plus blondes, ou vice versa. Bref, ce qui est sûr c'est que pendant neuf mois, question cheveux, il faut s'attendre à de l'imprévu ! Des changements qui ne sont pas forcément réjouissants. Les responsables, bien sûr, ce sont les hormones de la grossesse ! Ne vous inquiétez pas et prenez votre mal en patience, normalement, vous retrouverez votre belle crinière après l'accouchement... sauf pour une minorité de femmes pour lesquelles le changement est définitif.
Si vous souhaitez faire une permanente pour retrouver vos boucles, il n'y a pas de danger a priori mais la plupart des coiffeurs vous recommanderont d'attendre d'avoir accouché, car à cause des hormones de la grossesse, vos cheveux risquent de ne pas réagir comme ils le feraient en temps normal.

43

Vrai ou faux

On peut être enceinte
et avoir toujours ses règles.

RÉPONSE

Faux. Saigner pendant la grossesse est une chose courante qui arrive à 30 % des femmes enceintes. Elles ne saignent pas parce qu'elles ont leurs règles. Il y a bien d'autres raisons.

• *L'implantation* : alors que l'ovule fécondé progresse vers la paroi utérine, il se peut que vous perdiez un peu sang à la date anniversaire de vos règles. Ce saignement dû à l'implantation de l'ovule ne dure qu'un jour ou deux et est en général d'une couleur beaucoup plus claire que les règles.

• *Des infections* : candidose, vaginose bactérienne et infections sexuellement transmissibles peuvent irriter le col de l'utérus et provoquer de saignements, en particulier après des rapports sexuels ou un examen gynécologique.

• *Les rapports sexuels* : pendant la grossesse, le col est plus sensible et plus fragile que d'habitude et des rapports sexuels peuvent déclencher des saignements. Ces saignements doivent être signalés à votre médecin car ils peuvent être un symptôme de placenta bas inséré, que l'on appelle « placenta prævia », une complication rare dans laquelle le placenta obstrue partiellement ou complètement le col.

Les saignements peuvent aussi signaler des problèmes plus graves comme une grossesse extra-utérine (quand l'ovule fécondé s'implante hors de l'utérus), des problèmes concernant le placenta ou encore une fausse couche. Pour plus de sûreté, prévenez votre médecin si vous notez des saignements, en particulier s'ils sont accompagnés de douleur ou de crampes.

44

Pourquoi mon urine a-t-elle une drôle d'odeur ?

☐ **a.** C'est parce que votre bébé se soulage lui-même dans votre vessie.

☐ **b.** Les hormones modifient les odeurs corporelles.

☐ **c.** Vous faites pipi toutes les cinq minutes : l'odeur de l'urine n'a pas le temps de s'éliminer.

☐ **d.** Vous souffrez d'une infection sexuellement transmissible.

RÉPONSE

b. Si vous ne l'avez pas encore remarqué, les hormones de la grossesse ne se contentent pas de faire grandir votre bébé, elles sont aussi responsables de nombreux autres changements concernant votre corps. Et malheureusement, ceux-ci ne sont pas toujours agréables. C'est le cas de l'odeur de l'urine qui, disons-le franchement, cocotte un peu. Et en plus, il n'y a pas que le pipi qui sent mauvais, les hormones affectent aussi l'odeur de votre corps et en particulier la zone vaginale. C'est gênant, certes, mais c'est temporaire. Vous retrouverez votre odeur habituelle après la naissance de votre enfant. La seule chose que vous puissiez faire pour lutter contre les mauvaises odeurs, c'est vous doucher, mais attention ne prenez pas de douche vaginale et n'utilisez pas de déodorants intimes qui pourraient provoquer d'autres problèmes.

Toutefois, un changement d'odeur peut être aussi causé par autre chose que les hormones. une odeur fétide, par exemple, peut être due à une infection des voies urinaires, plus courantes durant la grossesse car l'utérus repose directement sur la vessie, ce qui peut gêner le flot urinaire et générer des infections. En cas de doute, adressez-vous à votre médecin. Si elles sont traitées, les infections urinaires ne représentent pas de danger pour le fœtus, en revanche, si vous ne les prenez pas au sérieux, elles risquent de dégénérer et d'entraîner des complications rénales, causes d'accouchement prématuré et de faible poids de naissance du bébé.

45

Pourquoi ai-je la bouche si sèche ?

☐ **a.** Vous ne buvez pas assez.

☐ **b.** Les glandes salivaires fonctionnent au ralenti durant la grossesse.

☐ **c.** Vous faites tellement pipi que votre corps est déshydraté.

☐ **d.** C'est une illusion pour vous inciter à boire suffisamment d'eau pour hydrater votre bébé.

RÉPONSE

a. Pendant la grossesse, le flux sanguin est plus important qu'en tant normal, le cœur fait circuler dans le corps une quantité de sang et d'autres fluides, supérieure de 50 % à la normale, ce qui donne à la femme enceinte l'impression d'être constamment déshydratée et d'avoir soif en permanence. Pour éviter les problèmes liés à la déshydratation – bouche sèche, migraines, nausée, crampes, rétention d'eau et même accouchement prématuré –, vous devez donc absolument boire de l'eau régulièrement dans la journée. La recommandation des médecins est de boire 10 à 12 verres d'eau par jour, et davantage en cas d'activité ou de fortes chaleurs l'été. Si malgré cela, vous avez toujours la sensation d'avoir la bouche sèche, sucer un bonbon à la menthe ou mâcher un chewing-gum sans sucre peut contribuer à faire mieux fonctionner vos glandes salivaires.

46

Est-ce que les massages du périnée sont bénéfiques durant la grossesse ?

- ☐ **a.** Non, pas du tout. Au contraire, ils risquent d'introduire des bactéries dans votre utérus.
- ☐ **b.** Oui. Cela va intensifier vos orgasmes.
- ☐ **c.** Des massages quotidiens permettent d'éviter les déchirures durant l'accouchement.
- ☐ **d.** Les massages rendront l'accouchement moins douloureux mais seulement s'ils sont pratiqués pendant la phase de travail.

RÉPONSE

C. On a longtemps considéré que les massages du périnée – qui consistent à assouplir la zone située entre le vagin et l'anus – étaient un bon moyen de lutter contre les déchirements et d'éviter l'épisiotomie pendant l'accouchement. Des études ont montré leur efficacité, d'autres la contestent, mais cela ne peut certainement pas faire de mal. Attention, en cas de poussée d'herpès génital, il ne faut pas faire de massage du périnée ! Quoi qu'il en soit, les adeptes de ces massages conseillent de commencer vers la 34e semaine et de pratiquer quotidiennement jusqu'au terme. Voici quelques conseils :

1. Après un bain, asseyez-vous ou allongez-vous sur une serviette propre.
2. Appliquez généreusement une dose de lubrifiant (une huile à la vitamine E est recommandée) sur vos mains et autour de la zone périnéale (la zone entre le vagin et l'anus) et introduisez les deux pouces dans votre vagin sur une longueur de 2 à 5 centimètres.
3. Appuyez doucement mais fermement vers l'anus et à l'extérieur de vos cuisses jusqu'à ce que vous sentiez un étirement. Vous devez sentir la pression, une gêne et même une sensation cuisante mais pas de douleur. Maintenez la pression pendant quelques minutes.
4. Faites aller vos pouces d'avant en arrière dans votre vagin en évitant le méat urinaire, faites ce mouvement trois ou quatre minutes.

47

Pourquoi mes pets sentent-ils si mauvais pendant la grossesse ?

- ☐ **a.** Leur mauvaise odeur est due aux changements dans votre alimentation qui modifient le transit.
- ☐ **b.** La digestion des protéines animales est plus lente, la nourriture reste plus longtemps dans l'intestin, et donc fermente davantage.
- ☐ **c.** Vos pets ne sentent pas plus mauvais que d'habitude, c'est votre odorat qui est plus sensible durant la grossesse.
- ☐ **d.** Votre corps élimine plus que d'habitude.

RÉPONSE

b. La grossesse relâche les muscles responsables du transit intestinal, ce qui se traduit par un ralentissement de la digestion et souvent par de la constipation, des ballonnements et de l'aérophagie. Plus la nourriture reste dans vos intestins et plus elle va fermenter et produire des bactéries. Et les bactéries sentent mauvais.
Vous ne pouvez pas vraiment éliminer le problème en revanche vous pouvez essayer ces quelques procédés pour diminuer la gêne occasionnée :

- *Évitez certains aliments* : oignons, pois, choux, radis, prunes, abricots, choux-fleurs, brocolis, et choux de Bruxelles qui sont réputés pour causer de l'aérophagie, évitez également les boissons gazeuses.
- *Arrêtez le lait* : les produits laitiers peuvent donner des flatulences. Si vous réduisez votre consommation, vous devez compenser en consommant d'autres aliments contenant du calcium, c'est essentiel pour la structure osseuse du bébé.
- *Mâchez bien et lentement* : vous avalerez moins d'air.
- *Renoncez aux chewing-gums* : lorsque l'on mâche des chewing-gums, on avale beaucoup d'air et cet excès d'air provoque des gaz.
- *Fractionnez vos repas* : il vaut mieux faire plusieurs petits repas qu'un seul repas copieux : cela vous permet de digérer les aliments avant qu'ils ne fermentent.
- *Prenez un anticonstipant* : la constipation provoque des gaz, et donc si vous traitez la cause vous en éliminez les effets !

48

Pourquoi est-ce que je ronfle plus qu'avant ?

☐ **a.** C'est parce que vous ne dormez pas aussi profondément qu'avant.

☐ **b.** C'est à cause des muqueuses nasales qui sont enflées pendant la grossesse.

☐ **c.** Vous ronflez parce que vous êtes plus grosse qu'avant.

☐ **d.** Comme vous respirez pour deux, ronfler vous permet d'aspirer plus d'oxygène.

RÉPONSE

b. Pendant la grossesse, les muqueuses du nez et de la gorge s'épaississent et enflent, c'est à la fois le résultat des hormones et de l'augmentation de la circulation sanguine. Cela vous fait ronfler la nuit et vous donne parfois l'impression d'avoir du mal à respirer le jour. Durant la grossesse, certaines femmes ont même de fréquents saignements de nez. C'est normal et temporaire et cela devrait disparaître après la naissance de votre enfant. Jusque-là, essayez les sprays à base de solution saline avant de vous coucher, buvez beaucoup d'eau et installez un humidificateur d'air dans votre chambre. Des strips adhésifs que l'on pose sur le nez peuvent aussi permettre de mieux respirer.

49

Pourquoi suis-je souvent gonflée et ballonnée ?

- ☐ **a.** Parce que votre bébé fait des pets.
- ☐ **b.** C'est pour étirer votre peau et aider votre ventre à grossir.
- ☐ **c.** Vous mangez trop.
- ☐ **d.** La grossesse ralentit la digestion, ce qui provoque des ballonnements.

RÉPONSE

d. Les ballonnements sont un phénomène très courant durant la grossesse, en raison des niveaux élevés de progestérone qui favorisent le relâchement des muscles du système digestif. Ce relâchement ralentit le processus digestif, ce qui provoque des gaz, de la constipation et des ballonnements. D'un autre côté, une digestion paresseuse a aussi des avantages : elle donne le temps aux nutriments de votre alimentation d'entrer dans votre système sanguin et de nourrir votre bébé.

Voici quelques suggestions pour calmer les ballonnements :

- Prenez quotidiennement un anticonstipant.
- Buvez beaucoup d'eau et évitez les boissons gazeuses.
- Mangez plus souvent mais en plus petites quantités.
- Mâchez lentement.
- Évitez les aliments connus pour donner des flatulences – choux de Bruxelles, choux en général, asperges, pois et haricots secs ainsi que fritures et aliments gras.
- Tenez-vous droite pendant les repas pour ne pas comprimer votre estomac.
- Faites une petite marche après les repas pour favoriser la digestion.
- Prenez un produit contre les flatulences sans ordonnance contenant de la siméthicone.

Prévenez votre médecin si vos douleurs abdominales se situent uniquement d'un côté ou si elles sont accompagnées de nausées soudaines et de vomissements, de saignements ou de diarrhées. Ces symptômes indiquent en effet une maladie beaucoup plus grave qu'une banale aérophagie.

50

Est-il dangereux de dormir à plat ventre?

☐ **a.** Non, mais ce n'est pas une position très confortable et vous ne tiendrez pas longtemps.

☐ **b.** Oui, car cela risque de comprimer l'utérus et de retarder la croissance du bébé.

☐ **c.** Oui, votre bébé risque d'étouffer car cette position le prive d'oxygène.

☐ **d.** Oui, cette position coupe la circulation du sang vers vos jambes.

RÉPONSE

a. Dormir sur le ventre ne fait courir aucun risque à votre bébé mais à partir du 4e ou du 5e mois, votre ventre arrondi vous gênera et cette position sera très inconfortable.
Vous avez déjà essayé de dormir couchée sur un ballon de basket ou de foot ? C'est un peu la même sensation !
La meilleure position pour dormir pendant la grossesse est sur le côté gauche car cela optimise le flux sanguin et de nutriments vers l'utérus. Ainsi le poids du bébé ne pèse-t-il pas sur les vaisseaux principaux qui amènent le sang vers le cœur, et cela permet également à votre utérus d'être à bonne distance des gros organes tels que le foie qui est à droite. Si vous avez du mal à dormir sur le côté, placez un oreiller entre vos genoux et pliez légèrement les jambes. Vous pouvez également vous procurer un coussin de grossesse ; cette sorte de grand polochon maintient le corps, ce qui vous permettra de vous caler toute la nuit.

51

Je suis très constipée, est-ce que cela peut nuire à mon bébé ?

☐ **a.** une masse compacte importante dans les intestins risque d'exercer une pression sur le corps du bébé et de ralentir sa croissance.

☐ **b.** une masse compacte importante dans les intestins risque d'empêcher les mouvements du bébé.

☐ **c.** une masse compacte importante dans les intestins libère des toxines dans votre sang, ce qui représente un danger pour votre bébé.

☐ **d.** Le fait que vous soyez constipée ne fera pas de mal à votre bébé mais est douloureux pour vous.

RÉPONSE

d. Plus de la moitié des femmes enceintes souffrent de constipation, à cause des progestérones qui ralentissent le processus digestif afin que les nutriments aient le temps de parvenir à votre bébé. Voici quelques conseils afin de réguler votre transit :

• Mangez suffisamment de fibres, comme par exemple du pain complet, des fruits et des légumes.

• Buvez beaucoup d'eau, au moins 10 à 12 verres par jour.

• Faites de l'exercice car l'activité stimule un système digestif paresseux.

• Prenez quotidiennement des anticonstipants contenant de la siméthicone (certaines vitamines prénatales contiennent déjà cet agent.)

• Réduisez ou éliminez les apports supplémentaires en fer car trop de fer peut aggraver la constipation. Si vous consommez déjà des aliments riches en fer, c'est suffisant, inutile d'en rajouter, d'autant que les vitamines prénatales en contiennent déjà.

Lorsque vous allez à la selle, ne poussez pas trop fort, ce n'est pas dangereux pour votre bébé mais cela risque d'irriter le col de l'utérus et provoquer de petits saignements ainsi que des hémorroïdes, ce qui est douloureux.

En cas de constipation accompagnée de douleurs abdominale ou de diarrhées soudaines, prévenez votre médecin car cela peut être le signe de quelque chose de plus grave.

52

Pourquoi mes bouts de seins me brûlent-ils parfois ?

☐ **a.** Vos seins se préparent à l'allaitement.

☐ **b.** Vos seins grossissent, ce qui cause une sensation de brûlure.

☐ **c.** Vos seins sont plus sensibles en raison de l'augmentation du flux sanguin.

☐ **d.** Votre soutien-gorge est trop petit.

RÉPONSE

C. C'est encore la faute des hormones ! L'augmentation des taux d'œstrogène et de progestérone fait circuler plus de sang vers les seins, ce qui les rend plus sensibles au toucher. Conséquence : une sensation de brûlure, de démangeaison, et d'élancement, courante chez les femmes enceintes. Vous avez aussi remarqué que vos seins grossissent et que leurs aréole change de couleur et devient plus foncée. Ces signes montrent que votre corps se transforme et vous prépare à devenir maman. Vous pouvez prendre du paracétamol (appelé aussi acétaminophène, contenu notamment dans le Tylenol), si les brûlures vous gênent vraiment. Investissez dans un soutien-gorge confortable et en coton ou passez-vous de soutien-gorge car le contact du tissu sur la peau aggrave parfois l'irritation. Évitez le froid, car la sensation de brûlure risque de s'intensifier lorsque vos bouts de seins durcissent ou ont froid.

53

Pourquoi ai-je tant de mal à sortir de mon lit ?

☐ **a.** Parce que votre bébé est trop lourd.

☐ **b.** Parce que le sommeil est essentiel durant la grossesse.

☐ **c.** Vous souffrez probablement d'un déchirement d'un muscle abdominal.

☐ **d.** C'est dû à l'étirement des ligaments soutenant votre utérus.

RÉPONSE

d. Ce que vous ressentez est une douleur du ligament rond de l'utérus, caractérisée par un bref élancement ou une douleur sourde dans le bas du ventre ou à l'aine. Cela se produit lorsque les ligaments ronds (les ligaments qui maintiennent votre utérus en suspension dans l'abdomen) s'étirent et s'épaississent pour supporter le poids du bébé. Cette douleur du ligament rond est plus courante durant le second et le troisième trimestre et apparaît en général lorsque vous changez brusquement de position, comme par exemple lorsque vous roulez dans votre lit ou que vous vous relevez d'une position assise ou couchée. Tousser et rire peut aussi déclencher la douleur.
Alors comment sortir de votre lit sans souffrir ? Allez-y doucement, roulez sur le côté, balancez vos pieds hors du lit et prenez appui sur votre bras pour vous tourner et vous mettre en position assise. Levez-vous ensuite. Si vous souffrez de douleurs abdominales à d'autres moments, ou si ces douleurs sont accompagnées de crampes douloureuses, de perte de sang, de fièvre, ou de frissons de froid, consultez votre médecin en urgence. Cela peut être le signe que quelque chose de beaucoup plus grave et notamment d'une grossesse extra-utérine.

54

Est-ce risqué de me retenir de faire pipi ?

- ☐ **a.** Oui, résister à une envie pressante est dangereux car votre vessie gonflée comprime votre bébé.
- ☐ **b.** Oui, car vous risquez de développer une infection urinaire.
- ☐ **c.** Vous pouvez vous retenir de faire pipi mais pas plus d'une fois par jour.
- ☐ **d.** C'est au contraire conseillé car cela renforce vos muscles.

RÉPONSE

b. Faites pipi quand vous en avez envie !
Lorsque l'urine stagne trop longtemps dans la vessie, les bactéries se multiplient, ce qui accroît le risque d'infections urinaires. Ces infections urinaires ou cystites sont courantes durant la grossesse car votre vessie est comprimée et sous pression constante de votre utérus en pleine croissance. Bien qu'elles soient courantes, elles doivent – comme toute infection – être traitées rapidement sinon elles risquent de dégénérer en infection rénale, ce qui est grave à la fois pour vous et pour le bébé.
Par ailleurs, sachez qu'une vessie enflammée risque d'irriter l'utérus et de provoquer des contractions, ce qui peut déclencher un accouchement prématuré.

55

Pourquoi ai-je tout le temps envie de me gratter ?

☐ **a.** Vous êtes allergique à la grossesse.

☐ **b.** Votre peau s'étire.

☐ **c.** Votre température ne se régule plus normalement.

☐ **d.** L'accouchement a commencé.

RÉPONSE

b. De nombreuses femmes enceintes se plaignent de démangeaisons pendant leur grossesse. Celles-ci concernent plus particulièrement le ventre et les seins, là où précisément la peau se tend et s'étire. Les changements hormonaux peuvent aggraver le problème.

Pour soulager ces démangeaisons, voici quelques conseils :

- Évitez les douches chaudes, prenez plutôt des bains au lait d'avoine, céréale réputée pour adoucir la peau.
- Enduisez-vous de crème ou de lait hydratant sans parfum qui risquerait d'aggraver l'irritation.
- Buvez 10 à 12 verres d'eau par jour.
- Utilisez du savon doux pour nettoyer votre peau.

Si les démangeaisons sont insupportables, parlez-en à votre médecin. Consultez également en cas de démangeaisons sévères des mains et des pieds, de nausées, vomissements, de selles claires, de fatigue. En outre, si vous constatez que votre peau prend une teinte jaune, consultez de toute urgence, vous êtes peut-être atteinte de cholestase gravidique, une maladie hépatique qui ne se produit que durant la grossesse et qui peut entraîner détresse fœtale et accouchement prématuré.

Il existe d'autres causes de démangeaisons comme :

- Le prurigo, une éruption bénigne mais gênante de papules groupées et prurigineuses surtout sur les membres et les épaules.
- Le PPPU (plaques et papules prurigineuses urticariennes de la grossesse), une éruption apparaissant lors du dernier trimestre de grossesse. Celle-ci commence sur le ventre et peut s'étendre à tout le reste du corps.
- Une réaction allergique aux produits de beauté.

56

Vrai ou faux

Les soutiens-gorge à armature
sont dangereux pendant
la grossesse car ils empêchent
la poitrine de grossir.

RÉPONSE

Faux. Pendant votre grossesse, vous pouvez parfaitement porter un soutien-gorge à armature. S'il est à votre taille et que vous vous sentez à l'aise, cela ne représente aucun danger. Au contraire, plus votre poitrine grossira et deviendra lourde, plus ce soutien renforcé peut vous soulager. Cependant, il se peut aussi que les armatures sous vos seins deviennent inconfortables à partir du troisième trimestre, lorsque votre ventre gonfle juste sous votre cage thoracique et que les armatures vous rentrent dans la peau chaque fois que vous vous asseyez. Il existe des soutiens-gorge adaptés à la grossesse : ils n'ont pas d'armature et ressemblent un peu aux brassières de sport. Si vous envisagez d'allaiter, sachez que la plupart des soutiens-gorge d'allaitement n'ont pas d'armatures non plus car celles-ci risqueraient de gêner le bon écoulement du lait.

Quel que soit le modèle de votre choix, pensez à l'acheter dans différentes tailles, car vos seins vont beaucoup changer durant votre grossesse ; certaines femmes disent qu'elles doivent changer de taille chaque trimestre.

57

Ma grippe est-elle dangereuse pour mon bébé ?

☐ **a.** Non, elle est plus dangereuse pour vous que pour lui.

☐ **b.** Non, pendant la grossesse, votre système immunitaire est plus résistant, vous êtes donc tous les deux très bien protégés de la grippe.

☐ **c.** Oui, votre bébé risque de contracter une forme gravissime de grippe.

☐ **d.** Oui, vous pouvez contaminer votre bébé par le cordon ombilical.

RÉPONSE

a. La grossesse affaiblit votre système immunitaire vous laissant plus vulnérable, non seulement vis-à-vis de la grippe mais aussi vis-à-vis de ses complications. Elle affaiblit aussi les fonctions cardiaques et pulmonaires, ce qui augmente le risque de développer une pneumonie, qui est une complication courante de la grippe. Votre bébé ne risque pas d'attraper la grippe parce que vous l'avez vous-même, mais cela ne veut pas dire qu'elle n'est pas dangereuse pour lui.

Des études ont établi un lien entre une forte fièvre maternelle, notamment entre la 5e et la 7e semaine, et des défauts de naissance ou de maladie congénitale.

Si vous avez une forte poussée de fièvre, suivez les conseils suivants :

- Plongez-vous dans un bain d'eau fraîche.
- Buvez des boissons fraîches.
- Prenez du paracétamol qui est sans danger durant la grossesse.
- Et appelez votre médecin !

Pendant la grossesse, vous pouvez prendre certains médicaments contre la grippe, surtout si le bénéfice qu'ils procurent est plus grand que le risque encouru.

Si vous n'avez pas encore attrapé la grippe, il est temps de vous faire vacciner, selon les recommandations du corps médical concernant les femmes enceintes. Les vaccins sont sans danger durant la grossesse sauf si vous avez déjà fait dans le passé une réaction allergique, ou si vous êtes allergique aux œufs.

58

Mon bébé souffre-t-il quand je tousse très fort ?

- ☐ **a.** Oui, cela risque même de déclencher une fausse couche ou un accouchement prématuré.
- ☐ **b.** Oui, cela peut même interrompre son alimentation en oxygène.
- ☐ **c.** Oui, cela peut lui causer des dommages auditifs irréversibles.
- ☐ **d.** Non. Votre bébé ne souffre pas quand vous toussez.

RÉPONSE

d. Vous ne risquez ni de déclencher un accouchement prématuré, ni de provoquer une fausse couche. Vous aurez peut-être mal à l'estomac parce que tousser entraîne la contraction de vos muscles abdominaux, et mal au ventre parce que des quintes de toux finissent par vous secouer.
Pour adoucir ces symptômes, prenez des pastilles pour la toux et buvez un verre d'eau pour réduire les sécrétions qui provoquent la toux. Évitez les produits contenant de l'alcool et ne prenez pas de décongestionnant contenant de la pseudoéphédrine ou phényléphrine qui risquent tous deux d'affecter la circulation sanguine vers le placenta. Si votre toux s'accompagne de fièvre et de mal de gorge, appelez votre médecin. Vous avez peut-être une angine ou une sinusite nécessitant un traitement aux antibiotiques.

59

Je souffre d'une mycose génitale, est-ce transmissible à mon bébé ?

☐ **a.** Oui, s'il entre en contact avec les champignons au moment de la naissance.

☐ **b.** Oui, mais seulement si elle n'est pas traitée.

☐ **c.** Oui, mais seulement pendant le premier trimestre. Après, le bébé est protégé par le placenta.

☐ **d.** Non, les mycoses ne touchent que les adultes.

RÉPONSE

a. En raison des changements hormonaux, les mycoses génitales appelées aussi candidoses, sont plus fréquentes durant la grossesse qu'à d'autres moments de la vie d'une femme. Les symptômes sont des pertes blanches ou jaunes qui ont parfois une odeur de levure, des rougeurs, des irritations, ou des démangeaisons autour du vagin et des brûlures quand vous urinez ou pendant les rapports sexuels.

Un nouveau-né peut contracter une mycose au moment de l'accouchement par voie basse. Il peut développer une infection de la bouche appelée « muguet » qui se traite facilement au moyen de médicaments adaptés. Vous pouvez traiter votre mycose à l'aide de crèmes et de suppositoires délivrés sans ordonnance. Afin de prévenir une rechute, voici quelques conseils :

- Portez des vêtements amples et des sous-vêtements en coton.
- Après la toilette, séchez parfaitement la zone vaginale.
- Après avoir été aux toilettes, essuyez-vous d'avant en arrière.
- Évitez de porter des vêtements humides.
- Évitez les douches et sprays intimes qui risquent d'irriter et de perturber l'équilibre du pH vaginal.
- Consommez quotidiennement des yaourts ou des Lactobacillus acidophilus, c'est-à-dire des probiotiques.
- Limitez votre consommation de sucre, l'aliment favori des champignons.

Demandez conseil à votre médecin avant de démarrer un traitement afin d'être sûre que vous souffrez bien d'une mycose vaginale.

60

Vrai ou faux

Si j'ai de l'asthme mon bébé
risque de ne pas avoir
assez d'oxygène.

RÉPONSE

Vrai. L'asthme est relativement courant durant la grossesse : il touche environ 7 % des femmes enceintes. une femme enceinte asthmatique peut, si elle est correctement prise en charge et traitée, vivre des grossesses normales. En revanche, l'asthme non traité risque d'avoir des conséquences gravissimes sur votre bébé : retard de croissance (quand le bébé est plus petit que la normale), accouchement prématuré, et enfin, dans les cas les plus sévères, mort in utero. L'asthme est aussi dangereux pour la mère car il peut provoquer de l'hypertension artérielle, de graves nausées, des vomissements, une pré-éclampsie, appelée aussi toxémie gravidique (avec des conséquences dramatiques sur les reins, le cerveau, le foie et les yeux de la mère), ainsi que des complications au moment de l'accouchement.

La plupart des traitements pour l'asthme peuvent être administrés sans danger pendant la grossesse. Consultez votre médecin tous les mois pour qu'il examine vos poumons et vérifie que votre bébé reçoit suffisamment d'oxygène. À partir de la 28e semaine, il est conseillé de compter les coups de pied et mouvements du bébé (environ 10 toutes les deux heures) et de pratiquer régulièrement une échographie pour contrôler sa croissance. En cas de crise d'asthme, consultez votre médecin, celui-ci contrôlera le rythme cardiaque du bébé et vos fonctions pulmonaires afin de s'assurer qu'il n'a pas été privé d'oxygène durant la crise.

61

J'ai été piquée par une abeille : est-ce dangereux pour mon bébé ?

☐ **a.** Oui, si cela vous fait mal, il a mal aussi (car votre bébé ressent votre douleur.)

☐ **b.** Oui, mais seulement si vous êtes allergique aux piqûres d'abeille.

☐ **c.** Oui, mais seulement si vous êtes piquée sur le ventre.

☐ **d.** Non, les piqûres d'abeille ne représentent aucun danger ni pour vous ni pour le bébé.

RÉPONSE

b. Il n'y a pas de danger pour le bébé puisque les allergies ne se développent qu'après la naissance. Toutefois, si une piqûre d'abeille provoque chez vous un choc anaphylactique – forte réaction allergique provoquant une grave perturbation de la circulation sanguine et une chute très brutale de la tension artérielle –, c'est évidemment dangereux pour le bébé car un choc anaphylactique peut provoquer une fermeture des voies respiratoires entraînant une interruption de l'alimentation en sang et en oxygène du fœtus.
Enceintes ou pas, les femmes à fort terrain allergique devraient toujours avoir à portée de main un traitement approprié et notamment uneseringue pré-remplie qui permet une auto-injection d'adrénaline ; il n'y a pas de contre-indications pendant la grossesse et cela peut vous sauver la vie.
Les allergies bénignes – vous avez été piquée par une abeille et un bouton apparaît comme après une piqûre de moustique – ne représentent pas de danger pour le fœtus. Si vous êtes inquiète ou si les démangeaisons sont intenses, vous pouvez sans danger prendre des antihistaminiques.

62

Quelles plantes et herbes dois-je éviter durant la grossesse ?

- ☐ **a.** Goldenseal, menthe pouliot et millepertuis.
- ☐ **b.** Ephédra, ginkgo biloba et yohimbe.
- ☐ **c.** Les plantes énumérées en a et en b.
- ☐ **d.** Vous pouvez consommer toutes les plantes et les herbes que vous voulez durant la grossesse, à moins qu'elles ne soient illégales.

RÉPONSE

C. La plupart des médecins recommandent d'éviter ces plantes, ou des produits en contenant, durant la grossesse, non parce qu'elles sont dangereuses pour votre santé mais parce qu'elles n'ont pas reçu d'autorisation de la part de l'Assaps (Agence française de sécurité sanitaire des produits de santé). Cela signifie qu'elles n'ont pas été évaluées et soumises aux mêmes tests rigoureux que les médicaments vendus sur ordonnance ou en vente libre.

Certains remèdes naturels sont probablement sans danger comme le gingembre et la menthe (qui soulagent efficacement des nausées), mais certaines sont catégoriquement déconseillées pendant la grossesse. Selon le Natural Medicine Database (la base de données des médecines naturelles) les plantes et herbes suivantes contiennent des éléments qui peuvent être nocifs à un fœtus en pleine croissance :

- Saw palmeto (sabal serrulata).
- Hydaste du Canada (Hydrastis Canadensis).
- Dong quai (angélique chinoise).
- Ephédra chinois (Ephedra sinica).
- Yohimbe (Corynanthe yohimbe).
- Actée à grappes noires.
- Actée bleue.
- Camomille romaine.
- Menthe pouliot.
- Ginkgo biloba.
- Millepertuis.

Un conseil, comme d'habitude, adressez-vous à votre médecin avant de prendre un médicament ou des plantes.

63

Vrai ou faux

Une tasse de café par jour
est nocive pour le fœtus.

RÉPONSE

Faux. Selon des études, une femme enceinte, ou qui souhaite avoir un enfant, peut sans risque consommer jusqu'à 200 milligrammes de caféine par jour, c'est-à-dire environ une à deux tasses.

Une étude menée en 2008 a montré que les femmes qui consommaient plus que cette dose avaient deux fois plus de risques de faire une fausse couche que celles qui ne consommaient pas de caféine.

Attention, les produits suivants contiennent aussi de la caféine :

- Coca-Cola : 35 milligrammes par cannette.
- Red Bull : 76 milligrammes par cannette.
- Thé noir : 40 à 120 milligrammes
- Iced tea instantané en poudre : 27 milligrammes par cuillère à thé.
- Glace au café : 50 à 60 milligrammes pour 200 grammes.
- Chocolat noir : 31 milligrammes.
- Chocolat au lait : 6 milligrammes

Si vous croyez qu'il est plus sûr de boire votre boisson préférée dans sa version décaféinée, sachez que de nombreux fabricants utilisent du chlorure de méthylène pour décaféiner les grains de café. À très hautes doses, il est prouvé que cette substance est cancérigène chez les animaux. On estime que le café décaféiné chimiquement est sans danger à condition de choisir ceux qui ont été traités selon un procédé naturel suisse.

64

Les produits d'entretien pour la maison sont-ils dangereux pendant la grossesse pour le bébé ?

- ☐ **a.** Les produits décolorants sont dangereux.
- ☐ **b.** Les produits contenant de l'ammoniaque sont dangereux.
- ☐ **c.** Les produits contenant du chlore sont dangereux.
- ☐ **d.** Les produits d'entretien pour la maison ne représentent aucun danger pour le fœtus.

RÉPONSE

d. Les produits d'entretien contenant des décolorants, de l'ammoniaque ou du chlore ne représentent pas de danger pour le fœtus si vous prenez les précautions d'usage habituelles. En revanche, leur odeur peut vous donner un peu mal au cœur aussi est-il conseillé de bien aérer quand vous les utilisez. Pour plus de sûreté, portez des gants pour réduire le contact avec ces produits. Vous pouvez aussi pour lutter contre la saleté et la graisse dans votre cuisine, choisir des produits naturels contenant des ingrédients comme du bicarbonate de soude ou du vinaigre.

Que vous soyez enceinte ou pas, ne mélangez jamais l'ammoniaque avec le chlore ou les produits blanchissants ou décolorants. Cette combinaison peut produire du gaz de chlore, une vapeur toxique qui est dangereuse pour vous, le bébé et tous ceux qui risquent de l'inhaler.

65

Vrai ou faux

Les désodorisants peuvent être nocifs pour le fœtus.

RÉPONSE

Vrai. Les désodorisants sentent bon mais ils sont mauvais pour les fœtus.

Selon une étude portant sur 14 000 femmes enceintes, les bébés de femmes utilisant des aérosols et désodorisants quotidiennement durant leur grossesse souffrent davantage de diarrhées et de maux d'oreilles durant leur enfance que les autres.

Une autre étude menée en 2007 a conclu que de nombreux désodorisants contenaient des phtalates, produits chimiques qui ont un effet sur le taux de testostérone et provoquent des anomalies du système reproductif masculin (organes génitaux d'une taille inférieure à la normale et dégradation de la qualité du sperme). Le corps médical est plus inquiet de l'exposition aux phtalates entre la 8e et la 15e semaine de grossesse lorsque les organes sexuels du fœtus se développent.

Si vous voulez que votre maison sente le frais sans contaminer l'air ambiant, voici quelques conseils :

- Placez du bicarbonate de soude ou un peu de vinaigre mélangé à du jus de citron dans des coupelles placées à différents endroits de votre logement et investissez dans des plantes d'intérieur.
- Pour dissiper les odeurs fortes de cuisine, portez à ébullition quelques minutes une casserole d'eau contenant du vinaigre.
- Si vous disposez d'un broyeur d'ordures, placez une tranche de citron à l'intérieur pour dissiper les odeurs.

66

Est-ce dangereux de faire le plein de ma voiture moi-même ?

☐ **a.** Oui, les vapeurs d'essence sont toxiques pour le fœtus.

☐ **b.** Oui, les vapeurs d'essence risquent de déclencher un accouchement prématuré.

☐ **c.** Il n'y a pas de danger à condition d'arrêter de respirer pendant que vous faites le plein.

☐ **d.** Il n'ya pas de danger sauf si vous êtes pompiste.

RÉPONSE

d. Faire le plein soi-même ne pose pas de problème mais passer ses journées à manipuler de l'essence est plus problématique.

Bien qu'il soit évident qu'une femme enceinte ne doive pas s'exposer aux composés volatils organiques comme le méthanol que l'on trouve dans les carburants, le laps de temps pendant lequel vous êtes exposée quand vous faites occasionnellement le plein de votre voiture ne représente pas de danger pour le fœtus.

Pour éviter le moindre risque, assurez-vous que l'espace est bien ventilé, éloignez-vous de la pompe pour diminuer autant que faire se peut le temps d'exposition aux vapeurs d'essence et lavez-vous les mains après pour ôter les résidus chimiques et éviter qu'ils ne pénètrent dans votre peau.

67

Il n'y a pas si longtemps, les femmes enceintes pouvaient boire de l'alcool et ça ne choquait personne, pourquoi ne puis-je pas en faire autant ?

- ☐ **a.** De nos jours, l'alcool est plus toxique.
- ☐ **b.** Autrefois, les femmes ne buvaient que du vin qui est moins nocif que les alcools forts.
- ☐ **c.** Les femmes ignoraient que l'alcool pouvait provoquer le syndrome d'alcoolisation fœtal.
- ☐ **d.** Boire de l'alcool n'est pas vraiment dangereux, les gens ont peur de tout aujourd'hui !

RÉPONSE

C. Il est exact qu'autrefois les femmes buvaient pendant leur grossesse, elles fumaient aussi, et prenaient des bains chauds et faisaient des tas de choses dont nous savons aujourd'hui qu'elles sont dangereuses pour un fœtus. Le fait est que lorsque vous consommez de l'alcool, celui-ci circule dans votre sang, traverse le placenta et parvient à votre bébé. De petites quantités ne causeraient pas de dommage majeur mais boire beaucoup d'alcool peut affecter le développement fœtal en particulier durant le premier trimestre.

Le risque majeur est le SAF, le Syndrome d'Alcoolisation Fœtal. Celui-ci affecte le bébé dont la mère a bu trop d'alcool durant la grossesse. Le système nerveux central du bébé est atteint, ce qui entraîne d'importants retards de croissance. Les bébés souffrant de SAF ont généralement des troubles d'apprentissage de la lecture, de la mémoire, de l'audition et d'élocution. Ils ont en général un petit poids à la naissance, les traits de leur visage sont caractéristiques : face plate, petite ouverture des yeux, large pont nasal, petit nez, lèvre supérieure mince, fente palatine, microcéphalie. Ils sont plus petits que les enfants du même âge.

Il n'y a pas de seuil au-dessous duquel boire de l'alcool serait sans danger pendant la grossesse. une étude a démontré qu'un seul verre par jour pouvait causer chez l'enfant des difficultés d'apprentissage. D'autres études suggèrent qu'une consommation modérée peut augmenter le risque d'hyperactivité et des difficultés de concentration chez l'enfant.

68

Puis-je peindre la chambre de mon bébé sans danger ?

☐ **a.** Oui mais, portez un masque.

☐ **b.** Oui mais, ouvrez la fenêtre.

☐ **c.** Oui mais, peignez le plus vite possible.

☐ **d.** Il vaut mieux trouver quelqu'un d'autre pour le faire.

RÉPONSE

d. Que vous soyez enceinte ou pas, peindre est une activité fatigante, et il est préférable que quelqu'un le fasse à votre place. Toutefois, si vous devez le faire vous-même, portez des gants, ventilez la pièce et attendez le troisième trimestre pour vous y mettre, car les deux premiers trimestres sont les plus cruciaux pour le développement de votre bébé. Et surtout, prenez votre temps : inutile de vouloir finir dans la journée ! Utilisez des peintures sans COV – composés organiques volatils. Ces gaz sont relâchés dans l'air au moment où la peinture sèche, c'est pourquoi certaines peintures dégagent une odeur si forte. À court terme, ces gaz peuvent provoquer migraines et vertiges. On est moins sûr de leurs effets à long terme, mais quelques études ont établi un lien entre une fréquente exposition aux COV et des fausses couches ou malformations congénitales.

Choisissez de préférence les peintures sans COV, ou sinon des formules à l'eau ou à base de latex. Les peintures à base de plomb ne sont plus vendues. Mais si votre logement a été construit avant 1948, il peut subsister d'anciennes peintures sur les murs, faites-les enlever et quittez votre logement pendant les travaux car le simple fait d'inhaler des poussières de plomb est dangereux pour vous et votre bébé.

69

Vrai ou faux

Les voyages en avion
sont dangereux
quand on est enceinte.

RÉPONSE

Faux. La meilleure période pour voyager en avion, c'est-à-dire la période la plus sûre, est le deuxième trimestre de grossesse. À ce moment, il y a moins de risques de fausse couche que pendant le premier trimestre et moins de risque d'accouchement prématuré que pendant le dernier.

Le problème n'est pas le voyage en avion lui-même mais la gestion de l'urgence, plus délicate évidemment quand on est dans les airs. Après la 35e semaine environ, il est déconseillé de prendre l'avion, car accoucher 9 000 mètres au-dessus du sol n'est pas la chose la plus sûre qui soit !

Voici quelques conseils pour que votre voyage soit le plus confortable possible :

- Réservez un siège côté couloir, car la plupart des femmes enceintes ont besoin de vider leur vessie une fois par heure. Cela facilitera vos déplacements dans la cabine.
- Évitez les aliments responsables de flatulences ainsi que les boissons gazeuses. Dans une cabine pressurisée, les gaz se dilatent et cela peut provoquer des ballonnements gênants (mais pas dangereux).
- Attachez votre ceinture de sécurité. Vous serez soulagée de l'avoir fait s'il y a des turbulences.
- Délassez-vous les jambes. Levez-vous et marchez dans l'allée toutes les heures. La station assise prolongée dans un avion, aggravée par la pressurisation et la climatisation, augmente les risques de thrombose veineuse, ou phlébite – formation de caillots de sang dans les jambes. Le port de collants de contention peut aussi être une bonne solution.

J'ai peur de l'avion, que puis-je prendre pour me détendre ?

- ☐ **a.** Certains médicaments contre l'anxiété.
- ☐ **b.** Un verre de vin.
- ☐ **c.** Du Benadryl.
- ☐ **d.** Recourez aux trois suggestions ci-dessus.

RÉPONSE

d. Il est possible de prendre certains médicaments contre l'anxiété durant la grossesse mais aucun n'est considéré sûr à 100 %. D'un autre côté, un stress intense ou une anxiété sévère ne sont pas bons non plus pour votre bébé, aussi est-il du ressort de votre médecin d'évaluer les risques de l'un ou de l'autre. Dans de nombreux cas, une simple dose de Benadryl (médicament appartenant à la famille des antihistaminiques) sera suffisante pour se relaxer. Certaines femmes choisiront de boire exceptionnellement un verre de vin pour les aider à vaincre leur stress, ce qui ne devrait pas être dangereux pour le bébé. Vous pouvez aussi essayer les techniques naturelles de relaxation comme la méditation ou la respiration profonde. Vous pouvez également vous procurer des livres ou des CD permettant de vaincre la peur de l'avion.

71

Que se passe-t-il si mon accouchement se déclenche dans l'avion ?

- ☐ **a.** L'avion doit faire demi-tour pour vous amener dans l'hôpital le plus proche.
- ☐ **b.** Vous devrez payer le coût de l'atterrissage sur l'aéroport le plus proche.
- ☐ **c.** Le personnel de bord et les passagers vous aideront à accoucher si l'avion ne peut pas se poser à temps.
- ☐ **d.** La pressurisation ralentit l'accouchement, ce qui vous donnera le temps d'atterrir normalement et de vous rendre à l'hôpital le plus proche.

RÉPONSE

C. Évidemment accoucher à 9 000 mètres au-dessus du sol n'est pas l'idéal mais si c'est le moment que votre bébé a choisi pour venir au monde, vous ne pouvez absolument rien y changer ! Si vous ressentez des contractions, dites-le tout de suite. Le pilote devra détourner l'avion vers l'aéroport le plus proche et demander qu'une ambulance vous prenne en charge dès l'atterrissage. Bien entendu, il y a un risque pour que vous vous posiez avec le bébé déjà dans les bras plutôt que bien au chaud dans votre ventre. Mais avec 200 passagers ou plus à bord des avions, il y a une chance pour que parmi eux figure un médecin ou une infirmière qui vous aidera à accoucher. Si ce n'est pas le cas, le personnel de bord vous assistera. Cela dit, bien que le personnel de bord soit entraîné à faire face à un accouchement inattendu, les compagnies évitent de se trouver dans une telle situation en refusant l'accès à bord aux femmes enceintes proche du terme de leur grossesse. Chaque compagnie a un règlement différent, certaines n'acceptent plus les femmes enceintes après la 36ᵉ semaine de grossesse, d'autres les laissent monter à bord sans limitation tant qu'elles peuvent produire une autorisation médicale.

72

Puis-je porter un bikini malgré mon gros bidon ?

☐ **a.** Non, votre bébé risque d'attraper plus tard un cancer de la peau.

☐ **b.** Non, le soleil sur votre ventre augmente la température de votre utérus, ce qui est potentiellement dangereux pour votre bébé.

☐ **c.** Bien sûr, mais appliquez un bon écran solaire car votre peau est plus sensible durant la grossesse.

☐ **d.** Bien sûr, le soleil est excellent, tant pour la mère que pour le bébé.

RÉPONSE

C. Les bains de soleil sont sans risque pour votre bébé : votre peau chauffe mais cela n'augmente pas la température de votre utérus. En revanche, ils sont mauvais pour votre peau. Les hormones de grossesse la rendent en effet extrasensible, ce qui signifie que les 30 minutes d'exposition qui vous donnait un hâle ravissant lorsque vous n'étiez pas enceinte risquent de provoquer cette fois un vilain coup de soleil et donc d'augmenter le risque de cancer de la peau. En outre, se mettre au soleil quand on attend un enfant risque d'intensifier le fameux masque de grossesse qui laissera sur votre visage et votre ventre des tâches indélébiles.

Un conseil : choisissez plutôt l'ombre. Si vous devez vous exposer, évitez les heures chaudes, entre 10 heures et 14 heures, portez un chapeau, et utilisez un écran solaire à large spectre d'un indice SPF au moins égal à 30.

73

Puis-je faire une balade en bateau ?

☐ **a.** Seulement pendant le premier trimestre quand votre bébé ne risque pas d'être dérangé par les chocs.

☐ **b.** Seulement si l'eau n'est pas trop agitée.

☐ **c.** Seulement si vous êtes une bonne navigatrice.

☐ **d.** Seulement si vous attendez un garçon.

RÉPONSE

b. Faire du bateau n'est pas contre-indiqué en cas de grossesse si vous ne naviguez pas dans des eaux trop agitées. Canoter dans des eaux tranquilles ne pose aucun problème mais faire du rafting dans des rapides de quatrième catégorie est évidemment fortement déconseillé.
Évitez en règle générale les situations dans lesquelles vous risquez d'être secouée. La plupart de ces chocs ne sont pas assez violents pour perturber votre bébé qui est bien à l'abri dans votre utérus mais vous risquez de tomber ou d'être heurtée. Par ailleurs, naviguer peut aggraver les nausées matinales du premier trimestre et comme la grossesse peut amplifier le mal des transports, si vous souffrez en temps normal du mal de mer, vous feriez mieux de renoncer !
En tout état de cause ne vous éloignez pas trop du bord, en particulier lorsque vous approcherez de votre terme, accoucher au milieu de l'océan n'est pas idéal !

74

À quel moment de ma grossesse, mon conjoint doit-il arrêter de faire des voyages d'affaire ?

- ☐ **a.** À 32 semaines.
- ☐ **b.** À 34 semaines.
- ☐ **c.** À 37 semaines.
- ☐ **d.** Cela dépend de sa destination.

RÉPONSE

d. Les destinations lointaines sont risquées car votre conjoint pourrait ne pas être rentré à temps pour l'accouchement. En revanche, même s'il est en déplacement au moment des premières contractions, il y a de grandes chances pour qu'il puisse être à vos côtés pour la naissance du bébé. Pour la plupart des primipares, il se passe entre 12 à 24 heures, voire plus, entre les premières contractions et la délivrance. Pour les naissances suivantes, c'est environ la moitié. En France, 7 à 8 % des bébés naissent prématurément.

Vous risquez d'accoucher avant terme si :

- Vous avez déjà accouché prématurément.
- Vous avez une grossesse multiple.
- Vous avez moins de 17 ans ou plus de 35 ans.
- Vous n'avez pas pris assez de poids durant votre grossesse.
- Vous étiez trop maigre avant votre grossesse.
- Votre col de l'utérus est raccourci.
- Vous mesurez moins de 1,52 mètre (c'est vrai, statistiquement...)
- Vous avez fumé, abusé de l'alcool ou consommé des drogues durant votre grossesse.
- Vous êtes tombée enceinte moins de six mois après la naissance de votre précédent enfant.

75

Pourquoi est-il dangereux de visiter des volcans ?

☐ **a.** Si le volcan entre en éruption, vous ne pourrez pas courir assez vite pour vous mettre à l'abri.

☐ **b.** Vous n'avez plus le même équilibre et vous risquez de tomber dans le cratère.

☐ **c.** Les émanations du volcan sont toxiques pour le fœtus.

☐ **d.** Les cendres rejetées par le volcan vont se poser sur votre peau et pénétrer dans votre circulation sanguine.

RÉPONSE

C. Les émissions volcaniques contiennent des toxiques qui peuvent être dangereux pour les femmes enceintes ainsi que pour les enfants et les personnes souffrant de troubles respiratoires, tels que l'asthme. Les habitants d'Hawaï, par exemple, sont particulièrement préoccupés par la question. Ils souffrent en effet d'un grand nombre de problèmes de santé dus aux brumes volcaniques - nuage de poussière composé de gaz volcaniques, dioxyde de carbone et dioxyde de souffre. Ces poussières contiennent des traces de métaux toxiques comme le sélénium, le mercure, l'arsenic et l'iridium. Les effets sur la santé sont notamment, des migraines, des difficultés respiratoires et des symptômes grippaux.

Les conséquences sur les fœtus ne sont pas clairement établies mais le danger est suffisamment réel pour que la visite de volcan soit déconseillée aux femmes enceintes. une visite en voiture n'est pas plus sûre car les poussières peuvent rester en suspension dans l'air pendant plusieurs kilomètres. Si vous voyez un nuage de poussière, fermez les fenêtres de votre véhicule, allumez l'air conditionné sur la position air recyclé et branchez-vous sur une station de radio afin de savoir où se situent les zones où l'air n'est pas pollué.

76

Vrai ou faux

Il ne faut pas mettre la bretelle de la ceinture de sécurité quand on est enceinte.

RÉPONSE

Faux. Enceinte ou pas, vous devez positionner normalement votre ceinture de sécurité en voiture car elle peut vous sauver la vie. Selon une étude, près de 200 fœtus par an – ou la moitié des fausses couches consécutives à un accident de la route – auraient pu être sauvés si la femme enceinte avait correctement bouclé sa ceinture de sécurité.

Bien qu'il y ait un risque minime que l'airbag blesse en se déployant la femme enceinte ou provoque des complications, il est déconseillé de désactiver l'airbag car le bénéfice retiré est bien moindre que le danger potentiel. Pour réduire les risques provoqués par l'airbag, suivez les recommandations suivantes :

- Reculez votre siège au maximum pour vous éloigner du tableau de bord.
- Placez la partie inférieure de la ceinture le plus bas possible sur l'os du bassin, sous le ventre.
- N'installez jamais la ceinture au-dessus ou sur votre ventre.
- Ajustez la partie supérieure de la ceinture afin qu'elle passe parfaitement entre vos seins.

77

Vrai ou faux

L'altitude est contre-indiquée quand on est enceinte.

RÉPONSE

Vrai. Le problème n'est pas l'altitude mais plutôt comment vous allez l'atteindre. Un voyage à Mégève par exemple, ne pose aucun problème. En revanche, l'ascension du Kilimandjaro est tout à fait déconseillée. Les hautes altitudes - au-dessus de 3 600 mètres - sont déconseillées à cause de la raréfaction de l'oxygène. En effet, plus vous montez en altitude, plus vous aurez des difficultés à respirer et moins d'oxygène pour vous signifie aussi moins d'oxygène pour votre bébé. Les études scientifiques ont montré que les femmes qui vivaient à de hautes altitudes donnaient en général naissance à des bébés plus petits que la moyenne. Mais l'altitude n'est pas le seul problème. En général, ces destinations sont souvent isolées et éloignées d'un centre médical offrant tout le confort et la technologie dont vous pourriez avoir besoin en cas d'urgence. Si vous séjournez en altitude pendant votre grossesse, soyez prudente et ralentissez vos activités. Avec moins d'oxygène dans l'air, vous ressentirez plus vite la fatigue que d'habitude. Faites des pauses régulières et si vous vous sentez étourdie ou si vous avez la tête qui tourne et que vous êtes prise de vertiges asseyez-vous et reposez-vous.

78

Le jogging est-il dangereux pour mon bébé ?

- ☐ **a.** Oui, cela peut provoquer une fausse couche.
- ☐ **b.** Oui, les secousses risquent d'affecter son développement cérébral.
- ☐ **c.** Cela ne fera aucun mal à votre bébé mais vous arrêterez de vous-même quand votre ventre sera trop gros.
- ☐ **d.** Cela ne fera aucun mal à votre bébé mais il risque de se retourner dans votre ventre.

RÉPONSE

C. Faire de l'exercice présente beaucoup d'avantages : cela peut vous aider à contrôler la prise de poids pendant la grossesse, à réduire les douleurs de l'accouchement et à retrouver plus rapidement votre ligne après la naissance. Si votre grossesse n'est pas à risque, un jogging ne fera pas de mal à votre bébé. En revanche, cela peut vous en faire à vous. En effet, à cause de l'hormone relaxine qui joue un rôle d'assouplisseur des articulations et des ligaments – et qui permet donc l'expulsion du bébé – la femme enceinte est fragile et sujette aux blessures musculaires et ligamentaires, elle est par ailleurs souvent sensible aux problèmes de dos. Si vous êtes une adepte du jogging, entraînez-vous de préférence sur un tapis en salle de sport plutôt qu'à l'extérieur sur un terrain instable.

Quelle que soit votre activité, veillez à vous hydrater, évitez les coups de chaleur et arrêtez sur le champ toute activité dès que vous vous sentez étourdie ou que vous avez la tête qui tourne.

Si vous êtes dans l'un des cas suivants, demandez conseil à votre médecin avant de démarrer un sport :

- Problèmes cardiaques.
- Maladie pulmonaire ou asthme.
- Col de l'utérus modifié.
- Risque d'accouchement prématuré.
- Saignements permanents.
- Rupture de la poche des eaux.
- Hypertension gravidique ou toxémie gravidique.
- Diabète mal équilibré.

79

Quelles postures de yoga dois-je éviter ?

- ☐ **a.** Toutes celles dans lesquelles vous êtes allongée sur le dos.
- ☐ **b.** Toutes celles dans lesquelles vous êtes allongée sur le ventre.
- ☐ **c.** Le yoga bikram, qui se pratique dans une pièce surchauffée.
- ☐ **d.** Toutes les postures ci-dessus ainsi que la pratique du yoga bikram.

RÉPONSE

d. Pendant votre grossesse, le yoga peut être une excellente façon de vous relaxer tout en vous permettant de garder la forme. En effet, la pratique du yoga améliore la souplesse et les postures, et permet grâce à la respiration profonde et à la méditation, de diminuer le stress et l'anxiété durant la grossesse, le travail et la délivrance. Prévenez votre professeur que vous êtes enceinte afin qu'il modifie ou élimine les postures qui peuvent être dangereuses. Vous pouvez aussi vous inscrire à des cours de yoga prénatal.

Bien qu'aucune étude n'ait étudié les conséquences de la pratique du yoga durant la grossesse, évitez par précaution les postures qui risquent de peser sur votre ventre, et notamment les postures suivantes, l'arc, le cobra, la sauterelle, la charrue, le paon, la grue, les postures sur la tête et sur les épaules. À partir de la 20e semaine, évitez les positions allongées sur le dos car elles risquent d'affecter la circulation sanguine et les apports nutritionnels vers l'utérus. La position du cadavre par exemple, c'est-à-dire allongée sur le dos, n'est pas vraiment dangereuse, mais elle risque de gêner la circulation et de vous donner des vertiges. N'oubliez pas que durant la grossesse les articulations et les muscles s'étirent et se relâchent, alors même si vous avez l'impression que vous êtes capable de vous plier dans de multiples positions, il est déconseillé d'essayer. Ne faites pas de yoga Bikram, une technique qui se pratique dans une pièce surchauffée, ce qui pourrait faire monter votre température et nuire au fœtus.

80

Puis-je faire des abdos ?

- ☐ **a.** Non, cela risque d'étirer les muscles de votre utérus.
- ☐ **b.** Non, la position allongée sur le dos n'est pas conseillée.
- ☐ **c.** Oui, c'est excellent pendant la grossesse.
- ☐ **d.** Oui, mais seulement si vous étiez en surpoids avant votre grossesse.

RÉPONSE

b. Pendant votre grossesse, évitez de faire les abdos traditionnels qui se pratiquent allongée sur le dos, surtout durant les deux derniers trimestres. En effet, lorsque vous êtes dans cette position, le poids du bébé repose sur vos veines principales qui véhiculent le sang jusqu'au cœur. Si les exercices durent trop longtemps, le flux de nutriments de votre bébé peut en être affecté et à court terme et vous risquez d'avoir la tête qui tourne.

Cela dit, l'exercice physique est bénéfique car en renforçant vos muscles, vous soulagez votre dos mis à rude épreuve pendant neuf mois. Les spécialistes considèrent aussi que cela peut faciliter le travail et la délivrance. Plutôt que de faire des abdos, pratiquez des exercices de bascule du bassin car ceux-ci sont sans danger durant la grossesse :

- Mettez-vous à quatre pattes en appui sur vos mains sans plier les bras.
- Respirez profondément, contractez vos muscles abdominaux, basculez le bassin en avant vers votre ventre en arrondissant le dos.
- Reprenez votre position initiale, détendez-vous et respirez.
- Recommencez. Pratiquez trois séries de 10 au moins une fois par jour.

81

Puis-je continuer à pratiquer l'escalade ?

- ☐ **a.** Oui, mais seulement durant le premier trimestre.
- ☐ **b.** Oui, à condition que vous pratiquiez avant votre grossesse.
- ☐ **c.** Oui, à condition que vous trouviez un harnais à votre taille.
- ☐ **d.** Non, l'escalade est trop dangereuse durant la grossesse.

RÉPONSE

a. Pendant le premier trimestre, l'escalade n'est pas contre-indiquée, en particulier si vous êtes une grimpeuse chevronnée. Après cette période, il vaut mieux éviter de pratiquer ce sport parce que votre utérus aura grossi et dépassé la barrière protectrice de votre pubis, et que, si vous lâchez prise et vous heurtez la paroi, cela peut être dangereux pour votre bébé. N'oubliez pas non plus que, durant cette période, vous êtes plus sujette aux entorses et blessures de toutes sortes en raison des effets de l'hormone relaxine. De nombreuses femmes enceintes inconditionnelles de ce sport, remplacent l'alpinisme ou l'escalade de hauts sommets, par de la simple varappe sur de gros rochers. Cette pratique est en effet moins dangereuse car il n'est pas nécessaire de s'encorder et on évolue très près du sol. La chute est donc *a priori* moins risquée dans la mesure où l'on progresse à l'horizontale au contraire de l'escalade où l'on progresse à la verticale.

Si vous comptez poursuivre la pratique de ce sport, entraînez-vous sur un terrain que vous connaissez déjà : la grossesse n'est pas le moment idéal pour découvrir des voies inexplorées. Essayez aussi les murs d'escalade au sein de clubs de gym car ceux-ci sont équipés de sols amortissant les chutes. En outre, vous bénéficierez des conseils et de l'aide de spécialistes. Portez toujours un harnais, en particulier celui qui se fixe sous le ventre afin de ne pas exercer de pression sur l'abdomen.

82

Vrai ou faux

Le chlore des piscines
est dangereux pour le fœtus.

RÉPONSE

Faux. Tant que vous ne buvez pas la tasse plusieurs fois, le chlore ne vous fera aucun mal ni à vous ni à votre bébé. Au contraire, il a une fonction essentielle : il élimine les germes quasi instantanément, ce qui est un atout indéniable quand on pense à tous les microbes qui doivent proliférer dans l'eau d'une piscine ! En outre, la natation est une excellente activité qui convient parfaitement aux femmes enceintes et qui a des vertus relaxantes. Si vous avez envie de nager, regardez bien où vous mettez les pieds, car la natation peut être dangereuse dans une piscine non chlorée ou dans un étang ou une mare. L'eau peut grouiller de bactéries et de virus, notamment des salmonelles, des E. coli, des staphylocoques et des Giardia lamblia (protozoaires responsables d'une parasitose intestinale).

Une femme enceinte est plus vulnérable aux infections provoquées par ces agents pathogènes, car son système immunitaire est naturellement affaibli. Certains de ces organismes parviennent même à franchir la barrière du placenta et à infecter le fœtus, ce qui peut provoquer une fausse couche, la naissance d'un enfant mort-né, un accouchement prématuré et d'autres complications.

83

Puis-je continuer à pratiquer l'équitation ?

- ☐ **a.** Oui, mais seulement si vous êtes déjà une bonne cavalière et à condition d'arrêter à la fin du premier trimestre.
- ☐ **b.** Oui, si vous connaissez bien le cheval que vous montez.
- ☐ **c.** Non, ce n'est pas prudent car vous risquez de tomber ou de recevoir un coup de pied.
- ☐ **d.** Non, les chevaux détestent les femmes enceintes, cela les rend nerveux.

RÉPONSE

a. Si vous êtes une bonne cavalière, vous pouvez continuer l'équitation durant le premier trimestre. Mais après cette période, le développement de votre ventre va déplacer votre centre de gravité, vous n'aurez donc plus l'équilibre nécessaire et la position assise à califourchon vous semblera très inconfortable.

Enceinte ou pas, le vrai danger de l'équitation est la chute. Selon une étude, l'équitation est plus risquée que les sports aériens, motorisés ou l'alpinisme. Quel que soit le confort de votre selle, le galop est déconseillé ainsi que monter un cheval sur un terrain accidenté, vallonné ou instable. Une chute de cheval peut avoir des conséquences graves sur le fœtus : elle peut entraîner une fausse couche, en particulier durant le second et le troisième trimestre lorsque le fœtus n'est plus protégé par les os de votre bassin. Si vous risquez un accouchement prématuré, renoncez à l'équitation, car les secousses et le balancement du pas du cheval peuvent exercer une pression suffisante sur le col de l'utérus pour déclencher le travail. Si vous avez un placenta prævia total ou partiel (c'est-à-dire lorsque le placenta recouvre le col), sachez que monter à cheval peut aussi provoquer des saignements.

84

Puis-je continuer à danser ?

- ☐ **a.** Les danses de salon sont autorisées mais renoncez au hip-hop et à la danse classique trop fatigants.
- ☐ **b.** Oui, sauf si vous êtes une danseuse professionnelle.
- ☐ **c.** Après le premier trimestre, oubliez la danse !
- ☐ **d.** Si votre grossesse se déroule sans complications, dansez autant que vous le voulez !

RÉPONSE

d. Pendant la grossesse, quasiment tous les styles de danses sont permis. Si votre grossesse ne présente pas de complications, la règle est la suivante : si vous pratiquiez avant d'être enceinte, vous pouvez continuer. Cela dit, vous allez vous apercevoir assez vite que danser avec un gros ventre n'est pas simple, d'abord parce que vous allez vous sentir fatiguée beaucoup plus vite qu'avant. Pendant la grossesse, votre cœur pompe davantage, votre circulation sanguine est augmentée de 30 à 50 %, ce qui rend l'exercice physique en effet plus difficile. Ce n'est pas dangereux ni pour vous ni pour votre bébé mais vous allez vous épuiser assez vite. Pensez à vous hydrater et soyez raisonnable : arrêtez-vous dès que vous vous sentez fatiguée : le surmenage et un coup de chaleur ne sont bons ni pour vous ni pour votre bébé. Pour prévenir entorses, foulures, élongations musculaires et douleurs, évitez les mouvements brusques et les sauts. Les femmes risquant un accouchement prématuré préféreront renoncer simplement à la danse, ou ne danseront que les slows. Quoi qu'il en soit, il est plus sage, avant de démarrer toute activité physique, d'en parler à votre médecin, en particulier si vous souffrez de problèmes cardiaques, pulmonaires, de diabète, si votre col est modifié, si vous avez des saignements, une rupture de la poche des eaux ou un placenta prævia.

85

Puis-je faire du trampoline ?

☐ **a.** Oui, s'il est équipé d'un filet de sécurité.

☐ **b.** Oui, si vous ne faites pas de saut périlleux.

☐ **c.** Oui, mais seulement à partir du second trimestre.

☐ **d.** Non, sauter sur un trampoline quand on est enceinte est dangereux.

RÉPONSE

d. Sauter sur un trampoline, que l'on soit enceinte ou pas, n'est pas sans risque. Chaque année, les urgences accueillent de nombreux blessés qui ont fait une chute en sautant sur un trampoline. Cette pratique, en apparence sans risque, est plus dangereuse que le skateboard, le vélo ou le roller.
Le plus grand danger serait de perdre l'équilibre et de tomber. N'oubliez pas que dès que votre ventre grossit, votre centre de gravité se déplace pour s'adapter au bébé. Par ailleurs, la pression du poids qu'exerce votre utérus sur le col risquerait de déclencher des contractions qui pourraient potentiellement déclencher un accouchement prématuré. Ce qui est d'autant plus risqué si vous avez une grossesse à risque.
Les risques de blessures mineures sont aussi augmentés : comme vos articulations sont plus souples, vous êtes plus fragile et si vous manquez votre atterrissage, c'est l'entorse ou l'élongation. Enfin, votre vessie risque elle aussi de ne pas du tout apprécier la séance de trampoline, l'incontinence urinaire est courante durant la grossesse et sauter ne fera qu'aggraver le problème.

86

Puis-je faire du ski de fond ?

- ☐ **a.** Oui, si vous restez sur terrain plat.
- ☐ **b.** Oui, si vous ne montez pas au-dessus de 3 600 mètres d'altitude.
- ☐ **c.** Oui, mais seulement si vous êtes une bonne skieuse.
- ☐ **d.** Oui, si vous remplissez toutes les conditions ci-dessus.

RÉPONSE

d. Vous pouvez faire du ski de fond pendant votre grossesse si vous pratiquiez déjà ce sport. En revanche, vous lancer dans cette activité pour la première fois alors que vous êtes enceinte est risqué. Concernant l'altitude, bien qu'il n'y ait pas de statistiques établissant un lien entre la haute montagne et les anomalies congénitales, il est recommandé aux femmes enceintes de ne pas dépasser une altitude de 3 600 mètres afin d'éviter toutes complications potentielles. Au minimum, vous risquez d'avoir la tête qui tourne en raison de la raréfaction de l'oxygène, vous pouvez aussi vous sentir fatiguée plus rapidement. Aussi devez-vous être vigilante et vous reposer dès que vous le sentez nécessaire. Si vous en êtes au troisième trimestre – et en particulier si vous risquez un accouchement prématuré – il est préférable de rester à proximité d'un lieu comptant des services médicaux adaptés. Inutile de prendre le risque d'être coincée en haut des pistes au moment fatidique !
En aucune circonstance, vous devez vous lancer dans le ski alpin pendant votre grossesse en raison des risques de chutes particulièrement dangereuses après le premier trimestre, moment où le bébé n'est plus protégé par le bassin.

87

Vrai ou faux

On ne saute pas à la corde quand on est enceinte.

RÉPONSE

Faux, mais... l'impact du saut à la corde sur le col de l'utérus est similaire de celui qu'il subit quand vous faites un jogging à allure modérée. Si votre col n'est pas modifié (ce que vous devez vérifier auparavant auprès de votre médecin), cette activité ne devrait pas vous causer de problème, ni à vous ni à votre bébé. En revanche, si votre col est raccourci ou dilaté, ou si on vous a annoncé que vous risquiez un accouchement prématuré, trouvez une autre activité ! *Le pilonnage répété de votre utérus sur le col exerce une pression suffisante pour déclencher des contractions et par conséquent le travail.*
Pourquoi n'essayez-vous pas plutôt la natation ou le yoga ?
Si vous sentez des contractions, arrêtez aussitôt. Il s'agit sans doute des contractions dites de Braxton-Hicks, qui sont inoffensives. Ce sont de fausses contractions qui se produisent durant la grossesse et qui permettent à l'utérus de s'entraîner. Elles ne durent généralement pas plus de 15 à 20 minutes. Attention ! Si elles ne s'arrêtent pas naturellement mais s'intensifient et se produisent à intervalles réguliers : appelez votre médecin.

88

Puis-je sauter en parachute ?

- ☐ **a.** Oui, si vous utilisez une forme particulière de parachute.
- ☐ **b.** Oui, si vous portez un masque à oxygène.
- ☐ **c.** Oui, mais seulement à partir du deuxième trimestre.
- ☐ **d.** Il y en a qui l'ont fait mais… ce n'est pas une bonne idée.

RÉPONSE

d. Contrairement à ce que vous pensez : ce n'est pas la chute vertigineuse à 200 kilomètres à l'heure qui posera un problème à votre bébé, c'est plutôt la force d'attraction du parachute. Le ralentissement brutal peut exercer une force suffisante pour décoller le placenta, comme dans le cas d'un accident de voiture. Ce décollement placentaire est extrêmement grave tant pour l'enfant que pour la mère. Et même si la chute ne blesse pas votre bébé, elle peut vous blesser vous. Vous êtes plus fragile et plus vulnérable aux entorses, foulures et élongations, en raison des hormones qui assouplissent vos articulations (ce qui sera très utile pendant l'accouchement). Et bien entendu, il y a un risque d'atterrir sur le ventre, ou sur une ligne électrique ou sur une autoroute, pourquoi vivre aussi dangereusement quand on s'apprête à devenir maman ?
Cela dit, il y en a qui l'ont fait. En 2005, Shayna Richardson, âgée de 21 ans, a atterri sur l'asphalte, sur le ventre, car son parachute ne s'était pas ouvert correctement. Elle ignorait qu'elle était enceinte et son bébé et elle ont survécu.
Mais, un conseil : pour la sécurité de votre enfant, restez sur le plancher des vaches.

89

Puis-je assister à un concert de rock ?

- ☐ **a.** Oui, mais ne remuez pas trop.
- ☐ **b.** Oui, et surtout amusez-vous !
- ☐ **c.** Non, la musique sera trop forte pour le bébé.
- ☐ **d.** Non, la foule risque d'être dangereuse.

RÉPONSE

a. Tant que vous ne sautez pas comme une folle dans tous les sens, un concert de rock ne représente aucun risque ni pour vous ni pour votre bébé.
Cela dit, évitez de vous tenir à proximité de la sono. À partir de la 30e semaine, les tympans du fœtus sont complètement développés, ce qui signifie qu'il entend quasiment tout ce que vous entendez vous-même. La plupart des sons sont étouffés mais la recherche scientifique a démontré que les basses, comme le son d'une guitare-basse, étaient amplifiées par le liquide amniotique. une exposition occasionnelle à une musique trop forte durant votre grossesse, ne fera pas courir de risque à votre bébé mais cela peut vous en faire courir à vous. La recherche a prouvé que même une minute de bruit supérieur à 100 décibels pouvait provoquer des dégâts auditifs définitifs, que vous soyez enceinte ou pas. (Les femmes enceintes qui passent huit heures par jour dans un univers sonore très bruyant risquent d'avoir des bébés souffrant de déficiences auditives). Enfin, sachez que si votre tympan éclate, vous devrez supporter la douleur en serrant les dents, en effet, les médicaments antidouleur prescrits généralement dans ce cas sont contre-indiqués durant la grossesse.

90

Vrai ou faux

Le jardinage peut être dangereux quand on est enceinte.

RÉPONSE

Vrai. Vous pouvez bien sûr continuer de vous occuper de vos fleurs et de vos plantes tout le temps de votre grossesse, mais à condition de prendre certaines précautions. Tenez-vous à distance des pesticides chimiques car ils contiennent des toxines. une exposition prolongée à ces produits représente un risque pour le fœtus et peut provoquer une fausse couche. Lisez toujours les étiquettes et respectez les conseils d'utilisation des sprays et aérosols pour fleurs et plantes. En outre, même les pesticides naturels peuvent être dangereux.

En jardinant, vous pouvez contracter la toxoplasmose, infection causée par un parasite qui prolifère dans les excréments d'animaux contaminés, notamment ceux du chat. Vous entrez en contact avec ce parasite lorsque vous jardinez par exemple à un endroit où un chat porteur de ce parasite a déféqué. La toxoplasmose est extrêmement dangereuse pour votre bébé : elle provoque des retards mentaux, des dégâts cérébraux et même la mort. De nombreuses personnes, en particulier les propriétaires de chats sont déjà immunisés, demandez à votre médecin de vous tester. Si vous avez déjà attrapé l'infection avant votre grossesse, vous ne pouvez plus l'attraper et la transmettre à votre bébé.

Pour pouvoir continuer à vous occuper de vos roses et en profiter, vous devez :

- porter des gants,
- vous laver les mains soigneusement après avoir jardiné,
- éviter de transporter des objets lourds, comme une brouette pleine ou un sac de terre ou d'engrais.

91

Puis-je faire de la plongée ?

- ☐ **a.** Non, cela peut être dangereux car votre bébé ne peut pas décompresser correctement.
- ☐ **b.** Non, c'est dangereux car votre gros ventre risque de vous entraîner au fond.
- ☐ **c.** Oui, mais seulement si vous êtes déjà experte.
- ☐ **d.** Oui, mais seulement pendant le premier trimestre.

RÉPONSE

a. Les études scientifiques ont mis en évidence un plus grand nombre de malformations congénitales et de naissances prématurées chez les femmes ayant pratiqué la plongée durant leur grossesse. Plus on plonge profond, plus le risque augmente. Le plus grand danger est la maladie de la décompression, la « maladie des plongeurs », communément appelée aussi « maladie des caissons ». Celle-ci se produit quand un plongeur remonte à la surface trop rapidement et quand le changement brutal de pression relâche l'azote dans son sang qui forme des bulles de gaz. Cela peut être fatal. Les plongeurs connaissent ce risque et l'évitent en respectant, lors de la remontée, des paliers de décompression. Un fœtus n'ayant pas les capacités nécessaires pour effectuer cette décompression, il y a donc un risque que la plongée laisse dans son système circulatoire des bulles de gaz non dissoutes. Dans le cas où la mère souffre de la maladie de la décompression, le risque est aussi majeur pour le bébé. Et pour noircir encore le tableau, le traitement habituel des maladies de la décompression, c'est-à-dire un passage obligé et prolongé dans un caisson hyperbare, est aussi à risque pour le fœtus. Alors, un conseil : ne plongez pas pendant la grossesse, vous pratiquerez à nouveau votre sport favori après la naissance de votre bébé. En revanche, nager avec un tuba est sans danger : évitez seulement les étangs et les mares d'eau douce qui sont plus susceptibles de contenir des bactéries potentiellement dangereuses.

92

Vrai ou faux

Le fœtus perçoit le goût
des aliments que mange sa mère.

RÉPONSE

Vrai. Des études prouvent que dès la 28e semaine, le fœtus est capable de goûter ce que vous mangez. Les papilles gustatives se développent autour de la 9e semaine, mais les connexions cérébrales, qui permettent de distinguer les goûts, ne sont pleinement fonctionnelles qu'à partir du début du troisième trimestre. Votre bébé avale le liquide amniotique par la bouche et peut donc avoir la sensation du goût des aliments que vous consommez, en particulier si vous mangez des plats épicés. On a démontré que le curry et l'ail étaient assez puissants pour modifier l'odeur du liquide amniotique. Ce que vous mangez quand vous êtes enceinte peut aussi influencer les futures préférences alimentaires de votre bébé, c'est ce qui ressort d'une étude. Les chercheurs ont partagé un échantillon de 46 femmes enceintes en trois groupes. Dans le premier groupe, les femmes buvaient du jus de carottes quotidiennement, celles du second groupe buvaient de l'eau et du jus de carottes un jour sur deux, celles du troisième groupe ne buvaient que de l'eau. Quand les bébés furent en âge de manger des aliments solides, les chercheurs leur proposèrent soit des céréales complètes, soit des céréales mixées à du jus de carottes. Les bébés dont les mères avaient bu du jus de carottes pendant leur grossesse étaient plus attirés par les céréales parfumées à la carotte et avaient moins d'expressions négatives et de refus de l'aliment que le groupe de bébés dont les mères n'avaient pas consommé de jus de carotte.

93

Quels sont les dangers d'un four à micro-ondes ?

- ☐ **a.** La nourriture réchauffée au four à micro-ondes augmente les risques pour le bébé de développer un cancer.
- ☐ **b.** Le passage au four à micro-onde détruit les nutriments.
- ☐ **c.** Les fours à micro-onde émettent des radiations qui sont dangereuses pour les fœtus.
- ☐ **d.** Il n'y a pas de danger… à condition de ne pas utiliser un four à micro-ondes ancien.

RÉPONSE

d. Tous les fours à micro-ondes fabriqués après 1971 sont conçus pour réduire les émissions de radiations au niveau le plus bas (même avant 1971, il est peu probable que des micro-ondes défectueux aient pu causer des dangers sur le plan de la santé.)

De nos jours, il faudrait que vous vous installiez à l'intérieur même du four à micro-ondes en marche pour qu'il provoque des dommages sur votre santé ou celle de votre bébé. Contrairement à certaines rumeurs, on ne court aucun risque lorsque l'on consomme de la nourriture réchauffée au micro-ondes ou que l'on se tient à proximité de l'appareil. Libre à vous d'appeler cela de la « cuisine nucléaire » mais en réalité les radiations émises par un four à micro-ondes (qui ne sont pas les mêmes que les radiations nucléaires) sont du même type que les ondes radios qui sont inoffensives.

L'évolution en matière d'étanchéité des portes limite le rayonnement qui peut s'échapper d'un four, voilà pourquoi les fours à micro-ondes ne peuvent fonctionner la porte ouverte. Et comme les ondes se dissipent à une certaine distance de la source, si vous craignez tout de même d'être exposée, éloignez-vous du four quand il fonctionne.

Et si vous utilisez un four datant d'avant 1971, apportez-le chez un antiquaire !

94

Vrai ou faux

On peut manger de la feta sans risque quand on est enceinte.

RÉPONSE

Faux. La feta fait partie des fromages que vous devez éviter de consommer pendant votre grossesse. Ce fromage, de même que d'autres fromages qui ne sont pas pasteurisés comme le Brie, le Camembert et les fromages de chèvre, peut être contaminé par la listéria, bactérie qui rend malade les adultes et peut être dangereuse pour les fœtus. Les symptômes de la listériose apparaissent entre 2 et 30 jours après l'exposition à la bactérie : ils ressemblent aux symptômes de la grippe – migraines, nausées et vomissements. Si vous présentez l'un de ces signes après avoir consommé de la feta, consultez votre médecin. Ce dernier vous prescrira des antibiotiques pour combattre l'infection avant que celle-ci n'affecte votre bébé.

Bien sûr, la plupart des fromages, qu'ils soient pasteurisés ou non, sont sans risque et si vous n'en avez consommé qu'une petite quantité, ne vous affolez pas. Mais, à l'avenir, choisissez plutôt des fromages à pâte dure pasteurisés comme le cheddar ou à pâte molle comme la mozzarella. Les pâtes à tartiner ou les fromages transformés, comme le cottage cheese sont aussi autorisé. En outre, on trouve des variétés de feta et de Brie pasteurisées : vérifiez les étiquettes. Enfin, la cuisson tue les bactéries : vous pouvez donc consommer ces fromages s'ils sont cuits.

95

Pourquoi faut-il éviter de consommer du beurre de cacahuètes ?

- ☐ **a.** Parce que votre bébé risque de développer une allergie aux arachides après sa naissance.
- ☐ **b.** Parce que votre bébé risque de faire une crise d'allergie in utero.
- ☐ **c.** Parce qu'après sa naissance votre bébé ne pourra plus voir les cacahuètes en peinture.
- ☐ **d.** A priori, il n'y a pas de raison. Quoique...

RÉPONSE

d. Les cacahuètes sont une bonne source de protéines, de corps gras insaturés, de fibres, d'acide nicotinique, de calcium et de minéraux. Pour une femme enceinte, c'est un amuse-gueule riche en nutriments.
Mais est-ce pour autant sans danger ? Les avis restent partagés. Certaines études ont montré que consommer du beurre de cacahuètes pendant la grossesse augmentait les risques que le bébé développe plus tard une allergie aux arachides. D'autres études, au contraire, n'ont pas montré de lien. S'il y a des cas d'allergie aux arachides dans votre famille – et en particulier si un de vos enfants est concerné – il est plus prudent de limiter votre consommation d'arachides pendant votre grossesse et durant la période où vous allaitez votre bébé pour permettre à son système immunitaire d'arriver à maturité. Il est aussi conseillé d'attendre que votre enfant ait trois ans pour introduire les arachides dans son alimentation.
Si vous décidez d'arrêter totalement la consommation d'arachide durant votre grossesse, vous pouvez vous rabattre sur le beurre de soja, de graines de tournesol ou de chanvre indien.

96

Quels sont les aliments qui ne présentent pas de danger pendant la grossesse ?

- ☐ **a.** La mayonnaise maison, le lait de poule et l'assaisonnement pour salade Caesar.
- ☐ **b.** Les œufs brouillés, les œufs durs, et les omelettes.
- ☐ **c.** La pâte à gâteaux et à cookie.
- ☐ **d.** Les mousses et les meringues.

RÉPONSE

b. Les œufs non cuits peuvent grouiller de salmonelles, une bactérie potentiellement dangereuse. Le système immunitaire des femmes enceintes est affaibli aussi sont-elles particulièrement vulnérables aux infections à salmonelles. Les symptômes apparaissent entre 12 et 72 heures après l'ingestion et se traduisent par de la fièvre, des crampes d'estomac, des nausées, des vomissements et des diarrhées. Si vous craignez d'avoir été contaminée, consultez immédiatement votre médecin. Bien que l'infection n'affecte pas le bébé en général, la déshydratation provoquée par les vomissements et la diarrhée pourrait provoquer une fausse couche. Il est très rare que les infections à salmonelles traversent la barrière du placenta et provoquent des complications sévères – notamment des accouchements prématurés ou des fausses couches, des maladies graves et des morts fœtales in utero.

Pour éviter tout risque, cuisez les œufs complètement – c'est-à-dire jusqu'à ce que les blancs soient blancs et le jaune solide – et ne consommez pas de produits contenant des œufs crus, en particulier la mayonnaise maison, le lait de poule, les pâtes de gâteaux et de cookie crues, les mousses et les meringues. Lorsque vous dînez dehors, renseignez-vous auprès du maître d'hôtel pour savoir si l'assaisonnement contient des œufs crus, quand vous faites vos courses, n'achetez que des produits fabriqués avec des œufs pasteurisés – ceux-ci sont sans danger. Chez vous, n'utilisez pas d'œufs dont la date limite de consommation est dépassée ou dont la coquille est fendue. Après avoir manipulé des œufs, lavez-vous toujours soigneusement les mains, ainsi que les ustensiles et toutes les surfaces qui ont été en contact avec eux.

97

Puis-je renoncer à la viande pendant ma grossesse?

☐ **a.** Non, la viande est indispensable car elle contient des nutriments qu'un régime végétarien ne peut apporter.

☐ **b.** Non, la viande contient des hormones nécessaires à la croissance de votre bébé.

☐ **c.** Oui, mais seulement après le premier trimestre.

☐ **d.** Oui, si vous complétez avec des suppléments alimentaires.

RÉPONSE

d. Malheureusement pour celles qui souhaitent suivre un régime végétarien durant leur grossesse, les vitamines essentielles que vous devez veiller à consommer en quantités suffisantes pendant cette période, en particulier du fer, des vitamines B12 et de la vitamine D, sont surtout présentes dans... la viande.

Selon une étude, les femmes enceintes devraient au moins consommer 150 grammes de protéines animales ou végétales par jour, 170 grammes de céréales, 2 poignées de fruits, 700 millilitres de lait ou 85 grammes de fromage.

Voici quels sont les besoins quotidiens de la femme enceinte :

- *Calcium* : 1 000 milligrammes par jour. Source hors viande : lait, fromage, yaourts.
- *Fer* : 27 milligrammes par jour. Source hors viande : haricots secs et pois, céréales supplémentées en fer, jus de pruneau.
- *Vitamine A* : 770 microgrammes par jour. Sources hors viande : carottes, légumes verts à feuilles, patates douces.
- *Vitamine C* : 85 milligrammes par jour. Sources hors viande : agrumes, brocolis, tomates, fraises.
- *Vitamine B6* : 1,9 milligramme par jour. Sources hors viande : céréales complètes, bananes.
- *Vitamine B12* : 2,6 microgrammes par jour. Sources hors viande : lait (les végétariennes doivent prendre un supplément.)
- *Folate* : 600 microgrammes par jour. Sources hors viande : légumes verts à feuilles, jus d'orange, légumes, noisettes.

98

Pourquoi faut-il éviter de manger trop de bonbons ?

- ☐ **a.** Un excès de sucre provoque des caries auxquelles vous êtes plus sujette pendant votre grossesse.
- ☐ **b.** Vous allez grossir et votre bébé aussi.
- ☐ **c.** Parce que vous mangerez moins d'aliments sains.
- ☐ **d.** Pour toutes les raisons ci-dessus.

RÉPONSE

d. Craquer pour du sucre, c'est banal. En fait, certains scientifiques pensent même que l'attirance de la femme enceinte pour le sucre a une explication qui remonte à l'origine de notre espèce, c'est-à-dire à l'époque où l'alimentation humaine était basée sur la cueillette et la chasse. Les végétaux qui avaient une saveur sucrée étaient plus riches en nutriments alors que les plantes amères étaient, en grande majorité, toxiques. Cela dit, se laisser trop facilement tenter par des aliments sucrés conduit inévitablement à une prise de poids notable qui vous fera courir un risque d'hypertension et d'accouchement prématuré. Par ailleurs, si vous consommez trop de sucre, vous n'aurez plus faim pour les aliments nourrissants dont vous avez besoin pour vivre une grossesse saine. En outre, manger trop de sucre est particulièrement risqué pour vos dents dans la mesure où pendant la grossesse, l'augmentation du taux de progestérone vous rend plus vulnérable aux caries et autres gingivites.

Votre bébé ne sera pas épargné lui non plus : en 2007, une étude menée sur 23 000 femmes enceintes vivant dans neuf pays a prouvé l'existence d'un lien entre le taux de sucre dans le sang de la mère et le risque d'accoucher d'un gros bébé. En cas d'accouchement par voie basse, un bébé trop gros court un risque de lésion aux épaules, il court plus de risques d'avoir des taux bas de sucre dans le sang et des taux élevés d'insuline, ce qui peut conduire plus tard à une obésité, du diabète et de l'hypertension.

99

Lequel de ces sushis est-il sans risque ?

- ☐ **a.** California roll.
- ☐ **b.** Spicy tuna roll.
- ☐ **c.** Sashimi de maquereau.
- ☐ **d.** Aucun. Ils sont tous déconseillés pendant la grossesse

RÉPONSE

a. À chaque fois que vous mangez des produits crus – qu'il s'agisse de sushi ou d'un tartare de bœuf – vous courez le risque de consommer un aliment contaminé par des bactéries, des virus, ou des parasites qui peuvent vous rendre malade. Lorsque vous êtes enceinte, tout ce que vous mettez dans votre assiette présente un danger potentiel car votre système immunitaire est naturellement affaibli et donc moins équipé pour combattre les infections. une intoxication alimentaire ne devrait pas nuire à votre bébé mais la déshydratation causée par d'importants vomissements ou une diarrhée sévère pourrait provoquer des contractions et déclencher un accouchement prématuré. Il y a tout de même un risque, même minime, que l'infection traverse la barrière du placenta et parvienne à votre bébé, ce qui aurait de graves conséquences comme une naissance avant terme, une fausse couche, ou de graves maladies du nouveau-né.
Les symptômes de l'intoxication alimentaire apparaissent habituellement moins de 24 heures après l'ingestion, donc si vous avez par mégarde mangé des sushis, et que vous avez survécu au repas sans ressentir ni vomissements ni diarrhée, cela signifie que probablement tout va bien.
Et à l'avenir, tant que vous êtes enceinte, tenez-vous en aux aliments cuits (california rolls, *tempura* rolls) et aux makis de légumes. Demandez au chef de couper vos makis sur une planche propre et avec un couteau n'ayant pas servi afin d'éliminer tout risque de contamination.

100

Est-ce que ça vaut la peine de dépenser plus pour manger bio ?

☐ **a.** Seulement pendant le premier trimestre quand votre bébé est plus vulnérable aux produits chimiques toxiques.

☐ **b.** Oui, en particulier pour les aliments à peau fine comme les pêches et les pommes.

☐ **c.** Seulement si vous êtes très riche.

☐ **d.** Économisez votre argent, les produits issus de l'agriculture traditionnelle conviennent parfaitement.

RÉPONSE

b. Les produits chimiques contenus dans les aliments produits par l'agriculture traditionnelle peuvent traverser le placenta alors si vous voulez être sûre que votre bébé soit épargné par les toxines, faites attention à ce que vous mangez. Ce sont les fruits et les légumes qui présentent les taux les plus élevés de pesticides. Les fruits à peau épaisse comme les papayes et les mangues vous font courir moins de risques que ceux qui ont une peau fine. Cette catégorie comprend les pêches, les pommes, les poivrons, les céleris, les nectarines, les fraises, les cerises, les poires, les raisins, les épinards, la laitue et les pommes de terre.

Les produits agricoles certifiés bios sont cultivés sans pesticides synthétiques, fertilisant artificiels ni irradiation (forme de radiation utilisée pour tuer les bactéries).

Les animaux élevés dans des fermes bios doivent avoir consommé des aliments bios (contrairement aux aliments composés pour partie de farines animales), ont été élevés en liberté, ou avec un accès à l'extérieur, et n'ont pas reçu d'antibiotiques ni d'hormones de croissance.

Évidemment, même les produits bios peuvent être contaminés par des virus ou des bactéries, c'est pourquoi il est conseillé de laver tous les aliments avant de les consommer. Vous pouvez aussi les peler, bien que cela vous prive également de certains nutriments.

101

Vrai ou faux

Les jumeaux peuvent se cogner dans l'utérus et se faire mal.

RÉPONSE

Faux. Vos jumeaux ne se feront mutuellement aucun mal, du moins tant qu'ils seront dans votre ventre ! Dans l'utérus, chaque fœtus a sa propre poche des eaux qui agit comme un pare-chocs amortissant les cabrioles et autres mouvements du bébé. Quoi qu'il en soit, la recherche indique que les jumeaux et tous les fœtus en cas de grossesses multiples en général, dialoguent et communiquent in utero. Des vidéos réalisées lors d'échographies ont montré des bébés se poussant, se donnant des coups de pieds et même ayant l'air de jouer et de s'embrasser mutuellement.

Il est rare – environ une grossesse sur 45 000 – que les jumeaux partagent la même poche des eaux. Si c'était le cas, votre médecin vous le dirait car c'est visible à l'échographie. Dans ce cas, il y a un risque que le cordon ombilical s'emmêle ou soit comprimé lors des mouvements des bébés, et qu'oxygène et nutriments n'alimentent plus correctement les bébés. C'est pourquoi ce type de grossesse est particulièrement surveillé notamment grâce à l'échographie. En outre, précaution supplémentaire, on fait naître les bébés par césarienne.

102

Des jumeaux peuvent avoir deux pères différents si...

- ☐ **a.** La mère produit deux ovules en même temps.
- ☐ **b.** La mère a des rapports sexuels avec deux hommes pendant la même période.
- ☐ **c.** Les deux conditions ci-dessus sont réunies.
- ☐ **d.** C'est impossible. Les jumeaux ont toujours le même père.

RÉPONSE

C. La superfécondation, c'est-à-dire la fécondation de deux ovules par des spermatozoïdes provenant de deux hommes différents est un phénomène rare. Cela veut dire que la mère a produit deux ovules durant le même cycle : ses jumeaux ont des pères différents. Normalement, les jumeaux ont un seul père, mais si la femme a des relations sexuelles avec deux hommes pendant la période de fécondation, il peut se produire une grossesse double, chaque ovule porte alors un matériel génétique différent : il y a deux bébés et ils n'ont pas le même père. Les études scientifiques montrent que cela se produit dans un peu plus de 2 % des naissances gémellaires, mais cela passe inaperçu car les parents ne font pas de tests de paternité.

103

Est-ce qu'un des jumeaux peut s'approprier tous les nutriments au détriment de l'autre fœtus ?

- ☐ **a.** Seulement s'il est affamé.
- ☐ **b.** Seulement si le placenta est défectueux.
- ☐ **c.** Seulement si la mère ne mange pas assez.
- ☐ **d.** Seulement si un des fœtus est malade et a besoin de plus de nutriments que l'autre.

RÉPONSE

b. Techniquement, il n'est pas possible que l'un des jumeaux vole de la nourriture à l'autre in utero puisque les deux fœtus sont nourris individuellement par le biais de leur cordon ombilical. Lorsque les bébés partagent un placenta (environ une fois sur deux dans le cas de vrais jumeaux), le placenta distribue équitablement oxygène et nutriments afin que les deux bébés soient alimentés correctement. Mais environ 10 % des vrais jumeaux souffrent du syndrome transfuseur/transfusé. C'est un déséquilibre du débit sanguin entre les circulations des deux jumeaux. Résultat : l'un des jumeaux reçoit moins de sang alors que l'autre en reçoit plus. Dans les cas les plus sévères, il y a risque de mort fœtale.

Votre médecin peut diagnostiquer un syndrome transfuseur/transfusé grâce à une échographie. Les signes de cette affection sont les suivants :

- Différence de taille sensible entre deux jumeaux de même sexe.
- Cordon ombilical et poche des eaux de taille différente.
- Placenta unique.
- Excès ou insuffisance de débit du fluide amniotique pour l'un des bébés.

Une amniocentèse permet de drainer l'excès de fluide et améliorer le flux sanguin. La chirurgie par laser peut également sceller la connexion entre les vaisseaux sanguins. Ces deux techniques sauvent la vie d'environ 60 % des jumeaux concernés.

104

Vrai ou faux

Une grossesse gémellaire
ne se voit pas forcément
à l'échographie.

RÉPONSE

Vrai. Bien que cela soit relativement improbable, il est possible qu'un médecin ne voie pas les deux fœtus si l'échographie est pratiquée au tout début de la grossesse. Mais entre la 20e et la 24e semaine, lorsque commencent les coups de pieds, il est assez rare qu'il passe à côté de deux paires de pieds ! Il est cependant déjà arrivé que des femmes ignorant qu'elles attendent des jumeaux le découvrent au moment où le deuxième bébé pointe le bout de son nez. Cette ignorance n'est possible que lorsque la femme n'a pas passé d'échographies ni des check-ups prénataux réguliers. Certaines femmes enceintes peuvent avoir l'impression qu'elles portent deux enfants tellement le bébé est agité mais dans la mesure où vous avez un suivi médical approprié, vous ne devriez pas avoir une grande surprise le jour J !

105

Est-il dangereux de faire des câlins à mon chat ou à mon chien ?

- ☐ **a.** Oui. Les animaux domestiques peuvent transmettre des infections potentiellement dangereuses pour le fœtus.
- ☐ **b.** Oui. Les piqûres de puces sont dangereuses pour le futur bébé.
- ☐ **c.** Oui. Les animaux domestiques sont plus agressifs envers les femmes enceintes, il y a donc des risques de morsures.
- ☐ **d.** Pas du tout, profitez de votre animal familier mais évitez le contact avec ses déjections.

RÉPONSE

d. Peu d'infections peuvent passer de l'animal à l'homme. En fait, il est plus probable que vous attrapiez un rhume de votre conjoint que de votre compagnon à quatre pattes.
Cela dit, les chats peuvent être porteurs d'une maladie appelée « toxoplasmose » qui peut se transmettre aux humains via leurs déjections. Pour cette raison, les femmes enceintes doivent éviter de changer la litière de leur chat durant leur grossesse, à moins de porter des gants en latex et de bien se laver les mains après.
Votre médecin peut pratiquer un simple test sanguin pour savoir si vous avez déjà été exposé. Si c'est le cas, il n'y a pas lieu de vous inquiéter, sinon suivez les conseils suivants :

- Changez la litière de votre chat quotidiennement. Le parasite ne devient infectieux qu'après un à cinq jours dans les déjections de votre chat.
- Gardez votre chat chez vous. Les félins qui ne se promènent pas à l'extérieur courent moins de risque d'être infectés.
- N'adoptez pas de chats errants, n'en approchez pas non plus.
- Pendant votre grossesse, ne faites pas l'acquisition d'un nouveau chat.
- Ne consommez pas de viandes crues ou insuffisamment cuites.
- Ne donnez pas de viandes crues ou insuffisamment cuites à votre chat.

106

Vrai ou faux

Vivre avec un chat
ou un chien pendant
votre grossesse augmentera
les risques d'allergies
aux animaux chez votre enfant.

RÉPONSE

Faux. Non seulement c'est sympa d'avoir un chien ou un chat, mais c'est aussi une bonne chose lorsque vous êtes enceinte car c'est positif pour votre bébé (pour autant que votre animal ne soit pas agressif). Des études ont prouvé que l'exposition aux animaux domestiques avant et après la naissance pouvait réduire les risques d'allergies et d'asthme chez le jeune enfant. On pense que l'exposition à l'animal influence le développement du système immunitaire, in utero et après
Et le meilleur reste à venir : en 2002, une étude réalisée a révélé que les enfants élevés avec deux ou plusieurs chiens et chats avaient 77 % de risques en moins de développer des allergies que les enfants qui n'avaient pas de chien ou de chat chez eux. Les chercheurs estiment que cet effet protecteur peut être le résultat d'une exposition précoce aux bactéries véhiculées par les animaux domestiques. Mettre les enfants en contact avec les bactéries entraîne assez tôt leur système immunitaire qui résistera plus facilement plus tard aux allergies. N'oubliez pas qu'un parent allergique reste tout de même le meilleur indice pour savoir si un enfant sera allergique ou pas. Sept enfants sur dix ayant un parent allergique seront aussi allergiques, alors que pour les enfants n'ayant aucun parent allergique, la proportion passe de un à dix.

107

Puis-je traiter mon chien contre les puces ?

☐ **a.** Non. Ces traitements sont toxiques et dangereux pour votre bébé.

☐ **b.** Oui, mais n'appliquez pas le traitement vous-même.

☐ **c.** Bien sûr, mais ôtez les puces seulement avec un peigne.

☐ **d.** Oui, éliminez les puces en les électrocutant, c'est moins dangereux que les produits chimiques.

RÉPONSE

b. Bien entendu, il n'est pas question de laisser puces et autres parasites vivre et prospérer dans la fourrure de votre animal domestique pendant neuf mois ! Il faut le traiter mais il est plus prudent de demander à quelqu'un d'autre de le faire à votre place. Les études prouvent que les faibles doses utilisées pour les chiens et les chats n'ont pas d'effets toxiques si l'on suit les conseils du fabricant. Les comprimés à ingérer que l'on donne aux animaux sont également sans danger. Toutefois, la plupart des traitements, sprays, pipettes, colliers, contiennent des pesticides qui, à fortes doses, pourraient être dangereux pour le fœtus. Si vous travaillez quotidiennement avec des animaux de compagnie ou si vous manipulez fréquemment des pesticides, faites-vous remplacer, surtout pendant le premier trimestre de votre grossesse, lorsque l'exposition aux pesticides est la plus dangereuse.

Vous pouvez aussi choisir une solution non toxique, ces méthodes sont moins efficaces mais c'est déjà mieux que rien, par exemple :

- Passez l'aspirateur sur les tapis, et les sols, enlevez régulièrement les poussières sur les meubles.
- Lavez fréquemment le tapis de votre chien ou de votre chat.
- Brossez votre animal et utilisez une brosse ou un peigne en métal.
- Faites bouillir six citrons coupés en deux dans un quart de litre d'eau, laissez infuser une nuit puis vaporisez cette solution naturelle antipuces sur votre animal, sa couche et ses meubles favoris.

108

Vrai ou faux

Les chats sont dangereux pour les nouveau-nés.

RÉPONSE

Faux. Les vieilles histoires sur les chats jaloux qui attaquent les bébés ou qui se couchent sur le nouveau né dans son berceau pour l'étouffer, sont... des histoires de bonnes femmes. Les statistiques prouvent qu'il y a plus de bébés et d'enfants tués par des chiens, des serpents ou par leurs propres parents couchés dansle même lit qu'eux, que par le chat de la maison.

La peur des chats trouve probablement son origine dans ces deux vérités :

- Les chats aiment sentir le souffle de la respiration (sans doute parce qu'ils aiment l'odeur des aliments qui ont été ingérés).
- Les chats aiment se coucher près d'une source de chaleur qu'il s'agisse d'un bébé, d'un lecteur DVD ou d'un dessus de cheminée.

Il n'existe pas de cas avéré de chat tuant un bébé, mais un accident peut toujours arriver. En 1982, un journal médical anglais publiait le cas d'un bébé âgé de 5 semaines retrouvé dans son berceau alors qu'il étouffait sous le poids d'un chat couché sur lui. Son père l'a sauvé en lui faisant du bouche-à-bouche, mais l'enfant est tombé malade par la suite et est mort sept mois plus tard de pneumonie. On n'a pas pu établir avec certitude si c'est le premier incident qui a causé sa mort mais cette histoire est suffisamment tragique pour faire réfléchir les parents propriétaires de chats. Un conseil : n'autorisez jamais votre chat à se coucher le berceau de votre bébé.

109

Quels animaux domestiques sont dangereux pour le fœtus ?

☐ **a.** Les chats et les chiens.

☐ **b.** Les tortues, les serpents et les lézards.

☐ **c.** Les lapins, les hamsters et les gerbilles.

☐ **d.** Les poissons.

RÉPONSE

b. Le moment est peut-être venu de trouver un nouveau toit pour votre tortue, votre serpent ou votre lézard. Ces reptiles sont vecteurs de salmonelle, une bactérie qui peut être dangereuse pour les femmes enceintes et leurs bébés. Cela dit, la salmonelle n'attaque pas le fœtus directement, mais la mère qui est infectée pendant la grossesse souffre de diarrhées et de vomissements sévères, ce qui peut causer une fausse couche. Il y a aussi un risque que l'infection traverse le placenta ce qui peut causer de graves complications. La salmonelle est également dangereuse pour les enfants de moins de cinq ans : alors tenez votre progéniture à l'écart de vos reptiles ou séparez-vous en momentanément. (Je précise : séparez-vous de vos reptiles, pas de vos enfants !)
Si vous ne pouvez pas vous résoudre à cette séparation temporaire suivez ces quelques précautions :

- Lavez-vous toujours les mains soigneusement au savon et à l'eau après les avoir manipulés.
- Ne les laissez pas à proximité de la cuisine ou de vos aliments.
- Ne nettoyez pas leurs cages dans l'évier de la cuisine. Si vous utilisez la salle de bains pour cela, désinfectez les lieux après avec une solution chlorée.
- Ne laissez pas un jeune enfant toucher les reptiles.

110

L'utilisation d'un lubrifiant pendant les rapports sexuels est-elle dangereuse pour le fœtus ?

- ☐ **a.** Non.
- ☐ **b.** Oui, les produits chimiques sont nocifs pour le fœtus.
- ☐ **c.** Oui, ils favorisent la transmission de MST (maladies sexuellement transmissibles).
- ☐ **d.** Oui, cela va intensifier votre orgasme, ce qui peut être dangereux pour le bébé.

RÉPONSE

a. Lubrifiez sans crainte ! Vol col est bien fermé, ce qui empêche tous les corps étrangers de pénétrer dans l'utérus pendant votre grossesse. En revanche, choisissez bien votre lubrifiant. Il est inutile d'irriter la zone vaginale, surtout pendant la grossesse, évitez les produits chauffants ou parfumés qui contiennent souvent du menthol ou de la capsaïcine – le composé actif du piment. Comme votre peau est plus sensible durant votre grossesse, de telles formules risquent d'être particulièrement irritantes. En réalité, vous ne devriez pas avoir besoin de lubrifiant car les pertes vaginales augmentent pendant la grossesse. Cela dit, gardez votre lubrifiant à portée de la main : après votre accouchement, votre taux d'hormones va brutalement chuter et provoquer une sécheresse vaginale, très inconfortable lors des rapports sexuels.

111

Lequel de ces préservatifs puis-je utiliser pendant ma grossesse ?

☐ **a.** Les préservatifs courants.

☐ **b.** Les préservatifs chauffants.

☐ **c.** Les préservatifs avec spermicide.

☐ **d.** Tous les préservatifs ci-dessus.

RÉPONSE

a. Les préservatifs en latex ou sans latex, sont sans danger durant la grossesse, mais n'oubliez pas que votre peau est hypersensible – partout – pendant cette période, et qu'il est sans doute plus prudent de vous passer pour le moment de certains accessoires fantaisie. Les préservatifs parfumés ou les préservatifs chauffants sont à éviter même si ce sont vos préférés car ils risquent de vous causer des irritations. L'usage des préservatifs est recommandé, en particulier dans le cas où votre partenaire est atteint d'une infection ou d'une maladie sexuellement transmissibles. En effet, certaines peuvent être transmises au bébé avant, pendant ou après sa naissance. Les maladies comme la syphilis peuvent traverser la barrière placentaire et affecter le développement fœtal ; la gonorrhée, l'hépatite B et l'herpès génital peuvent se transmettre au bébé pendant l'accouchement et causer des dommages graves à un nouveau né. Le virus du sida peut se transmettre à travers le placenta ou pendant l'accouchement. Évitez les rapports sexuels avec votre partenaire s'il a une poussée d'herpès, car c'est à ce moment-là qu'il est le plus contagieux et les préservatifs ne peuvent pas prévenir sa propagation.

112

Que risque-t-il de se passer si mon partenaire éjacule en moi ?

☐ **a.** Rien.

☐ **b.** Les hormones contenues dans le sperme risquent d'affecter le développement sexuel du fœtus.

☐ **c.** Le sperme peut provoquer une fausse couche.

☐ **d.** QUand je suis proche du terme, les hormones contenues dans le sperme peuvent provoquer l'accouchement.

RÉPONSE

d. Pendant la grossesse, le col de l'utérus est bien fermé, ce qui empêche les corps étrangers de pénétrer à l'intérieur et d'atteindre votre bébé. Celui-ci est en outre enfermé dans un sac où ce qui entre l'intérieur ne peut le faire qu'au moyen du cordon ombilical. Donc pour être clair, aucun spermatozoïde venant du pénis de votre partenaire ne peut entrer dans votre utérus.

Ceci étant dit, le liquide séminal contient des hormones appelées prostaglandines – les mêmes hormones que les médecins utilisent pour déclencher le travail. Et, théoriquement, être exposée à cette hormone quand on est en fin de grossesse peut déclencher les contractions. Cela dit, la plupart des médecins estiment que le taux de prostaglandine contenu dans le sperme ne peut provoquer l'accouchement que lorsque la femme est arrivée à son terme ou au-delà.

De plus, une étude scientifique a révélé qu'une exposition régulière au sperme de son partenaire réduisait les risques d'éclampsie (convulsions) chez la femme enceinte, maladie est à la fois dangereuse pour la mère et pour l'enfant. Toutefois, les raisons n'en sont pas clairement établies.

113

Pourquoi ai-je parfois des contractions après avoir fait l'amour ?

- ☐ **a.** Parce que le bébé est hyper stimulé.
- ☐ **b.** Parce que l'orgasme provoque des contractions de l'utérus.
- ☐ **c.** Parce que quand vous faites l'amour, vous faites travailler vos abdos.
- ☐ **d.** Parce que vous allez bientôt accoucher.

RÉPONSE

b. L'utérus se contracte naturellement quand vous avez un orgasme. Ces contractions se produisent même quand vous n'êtes pas enceinte, mais vous les sentez davantage parce que votre utérus est plus volumineux. Si votre grossesse est normale et que votre médecin ne vous a pas conseillé d'éviter d'avoir des rapports sexuels ou des orgasmes, ces contractions sont bénignes. Vous aurez peut-être l'impression que votre ventre est un peu de travers, mais il n'y a pas de risque pour votre bébé, vous aurez peut-être aussi des crampes après avoir fait l'amour mais c'est également normal. Dans la plupart des cas, ces crampes disparaîtront au bout de 15 minutes. Se coucher sur le côté gauche peut accélérer leur disparition, mais si elles persistent, si elles s'intensifient ou si vous avez des contractions régulières, des saignements ou des pertes vaginales anormales, consultez votre médecin.

114

Que va-t-il se passer si j'utilise un vibromasseur durant ma grossesse ?

- ☐ **a.** Les vibrations vont faire trembler le bébé.
- ☐ **b.** Le plastique est toxique pour les fœtus.
- ☐ **c.** L'intensité de l'orgasme peut provoquer un accouchement prématuré.
- ☐ **d.** Rien.

RÉPONSE

d. Les vibrations ne dérangeront pas du tout le bébé. Si votre médecin ne vous a pas déconseillé les relations sexuelles avec pénétration ou les orgasmes, vous pouvez, sans risque, utiliser un vibromasseur. D'autant que durant la grossesse, la circulation sanguine est augmentée, ce qui rend les orgasmes plus intenses qu'habituellement. Bien entendu, assurez-vous de la propreté de vos sex-toys et évitez les vibromasseurs faits dans une matière contenant des phtalates. N'enfoncez pas le vibromasseur trop profondément ou trop énergiquement dans votre vagin car le plastique est moins souple que la chair.

Voici les cas dans lesquels la pénétration et les contractions provoquées par l'orgasme ne sont pas indiquées pour vous :

- Placenta prævia, c'est-à-dire quand le placenta recouvre le col.
- Accouchement prématuré.
- Rupture de la poche des eaux.
- Col court, raccourci ou dilaté.

115

Vrai ou faux

En cas de pénétration profonde, le pénis peut blesser le bébé.

RÉPONSE

Faux. Même si votre partenaire est particulièrement gâté par la nature, son pénis ne touchera pas le bébé pendant les rapports sexuels parce qu'il va trouver sur son passage le col de votre utérus bien fermé.

Toutefois, il peut cogner contre le col en particulier lors de poussées profondes. Même si vous éprouvez une sensation douloureuse, cela n'est pas nocif. Essayez d'adopter une position plus confortable et dans laquelle vous pouvez contrôler la profondeur de la pénétration, (la femme au-dessus de son partenaire est une bonne solution).

Ne paniquez pas si vous apercevez quelques gouttes de sang après le rapport sexuel, cela vient probablement de votre col qui est irrité par l'augmentation du flux sanguin dans cette région. C'est assez courant mais n'hésitez pas à le mentionner lors de votre rendez-vous chez le médecin, afin que celui vérifie qu'ils ne sont pas dus à une cause plus grave, comme par exemple un saignement du placenta.

Aussi bizarre que cela puisse paraître, les hommes craignent souvent que leur pénis ne s'approche trop près de leur progéniture et bien que de telles peurs puissent en conduire certains à une abstinence temporaire, la plupart des femmes enceintes peuvent, sans risque, continuer à avoir des rapports sexuels jusqu'à leur accouchement.

116

Est-ce que mon bébé ressent quelque chose in utero quand je fais l'amour ?

- ☐ **a.** Oui, l'orgasme peut le remuer quelque peu.
- ☐ **b.** Oui, il risque de manquer d'oxygène.
- ☐ **c.** Oui, vos mouvements vont le bercer et l'endormir.
- ☐ **d.** Non, il ne ressent rien.

RÉPONSE

C. Il est impossible de dire avec certitude ce qu'un fœtus ressent quand sa mère fait l'amour parce qu'aucune étude n'a jamais été menée sur le sujet. Cela dit il y a de grandes chances qu'il ressente quelque chose – mais que cela soit assez ténu. Tous les mouvements que vous faites sont amortis par le liquide amniotique, donc même si les choses se corsent sérieusement, votre bébé ne suivra pas grand-chose de l'action. Le rythme régulier peut même l'inciter à s'endormir, c'est pourquoi de nombreuses femmes enceintes disent que leur bébé bouge moins après qu'elles ont fait l'amour. Certains spécialistes pensent également que l'acte sexuel fournit aux fœtus une dose d'ocytocine, cette hormone du bien-être qui est libérée après l'orgasme.
Vous savez quoi ? Faites l'amour, c'est bon pour tout le monde !

117

Quel effet ma grossesse a-t-elle sur mes pulsions sexuelles ?

☐ **a.** J'en ai plus.

☐ **b.** J'en ai moins.

☐ **c.** Je n'en ai plus du tout.

☐ **d.** Les trois à la fois.

RÉPONSE

d. La grossesse affecte les pulsions sexuelles de la femme enceinte différemment. Dans la plupart des cas, celles-ci diminuent durant le premier trimestre, augmentent pendant le second et diminuent à nouveau pendant le troisième. Et si vous n'en avez plus du tout, ne vous inquiétez pas, votre désir reviendra après votre accouchement. Évidemment, il faudra composer avec les pleurs du bébé et les nuits sans sommeil, ce qui ne favorisera pas l'intimité, mais vous trouverez une solution, j'en suis sûre !
Dans l'immédiat, ne soyez pas trop exigeante avec vous-même, n'oubliez pas que vous êtes en train de fabriquer un être humain. Il se passe tellement de choses dans votre corps, vos hormones font sans arrêt le grand huit, que faire l'amour est peut-être la dernière chose dont vous avez envie. Et alors que certaines femmes enceintes voient leur libido décuplée, d'autres préfèrent passer des heures à regarder la peinture de la chambre de leur bébé sécher plutôt que de faire un câlin avec leur partenaire. Vos hormones reviendront à leur état normal environ deux à trois mois après l'accouchement. Si vous allaitez la diminution du taux d'œstrogènes freinera votre libido, il faudra attendre le sevrage de votre bébé pour retrouver vos pulsions d'antan. La fatigue qui accompagne souvent les premières semaines d'un nouveau né, sont aussi un obstacle à un retour d'une vie sexuelle riche et épanouie mais une fois que les choses seront organisées et que le bébé fera ses nuits, vous sortirez la tête hors de l'eau et vous parviendrez à gérer aussi bien votre vie de mère que votre vie de femme. Deux mots clés : sieste et rapports sexuels rapides !

118

Un cunnilingus est-il sans danger pendant la grossesse ?

- ☐ **a.** Non, la bouche est pleine de germes qui peuvent être transmis de cette manière à votre bébé.
- ☐ **b.** Non, le sexe oral provoque des orgasmes si puissants qu'ils peuvent déclencher un accouchement prématuré.
- ☐ **c.** Oui, à condition que votre partenaire n'ait pas de MST.
- ☐ **d.** Oui, à condition que votre partenaire n'ait pas mangé épicé avant.

RÉPONSE

C. La bouche est un endroit où prolifèrent nombre de bactéries, mais à moins que votre partenaire ait une MST (maladie sexuellement transmissible) telles que gonorrhée, chlamydiae ou syphilis (qui toutes peuvent exister dans la bouche), recevoir un cunnilingus ne vous rendra pas malade, ni vous, ni votre bébé.

Cela dit, voici un certain nombre de précautions à prendre :

- Votre partenaire ne doit pas pratiquer le sexe oral s'il a un bouton de fièvre. Un bouton de fièvre est causé par le virus de l'herpès qui peut alors contaminer la zone vaginale. une infection due à un herpès peut être foudroyante pour un bébé, en particulier, si elle est contractée pendant le deuxième ou le troisième trimestre avant que votre corps ait eu le temps de développer des anticorps contre le virus.
- Assurez-vous que votre partenaire ne souffle pas d'air dans votre vagin. Il est possible, quoiqu'extrêmement rare, que de l'air bloque un vaisseau sanguin et provoque une embolie, ce qui serait fatal tant pour le bébé que pour vous. Cela peut se produire que vous soyez enceinte ou pas, mais c'est plus risqué durant la grossesse en raison de l'augmentation de la circulation sanguine dans la zone vaginale.

119

Vrai ou faux

L'accouchement
par voie naturelle va modifier
la taille de mon vagin.

RÉPONSE

Vrai. Votre vagin doit s'étirer pour laisser passer le bébé. Il se resserrera après la naissance mais restera un peu plus grand, en particulier si vous avez eu un gros bébé. La plupart des pères disent qu'ils ne sentent pas de différence et vous ne devriez pas le remarquer non plus. Des exercices de Kegel, visant à renforcer le muscle pubococcygien, pratiqués quotidiennement devraient vous permettre de retrouver votre tonus musculaire (voir page 28).
Ne vous attendez pas à refaire l'amour juste après votre accouchement : vous devrez attendre six semaines pour permettre à votre col de se refermer, pour que les saignements post-partum s'arrêtent et pour que l'épisiotomie soit cicatrisée. Plusieurs mois après l'accouchement, le vagin reste encore sensible et manque de lubrification, ce qui peut rendre les premiers rapports sexuels douloureux. Les femmes ayant accouché par césarienne sont aussi concernées par ce problème, des études montrent qu'elles se plaignent autant que les femmes ayant accouché par voie basse de rapports sexuels douloureux après une naissance. une minorité de femmes se plaignent qu'un relâchement subsiste, en particulier celles qui ont accouché d'un gros bébé, ou qui ont eu plusieurs enfants par voie basse. La solution consiste à pratiquer les exercices de Kegel quotidiennement ou dans les cas les plus prononcés, à subir une chirurgie vaginale.

120

Légalement parlant, quand dois-je annoncer ma grossesse à un futur employeur ?

- ☐ **a.** Dès le premier entretien.
- ☐ **b.** Lors du dernier entretien.
- ☐ **c.** Quand on vous proposera le poste.
- ☐ **d.** Jamais.

RÉPONSE

d. La loi ne vous oblige pas à annoncer à des employeurs potentiels que vous êtes enceinte, simplement parce votre grossesse n'a rien à voir avec le fait que vous êtes ou pas une bonne candidate pour le poste. Cela dit, si vous attendez votre engagement pour annoncer la grande nouvelle, votre boss risque de se sentir trompé et ce n'est pas une bonne façon de commencer une collaboration.

Passez les différentes étapes du processus d'embauche, lorsque vous aurez eu plusieurs entretiens et que vous entrerez en négociation pour être recrutée, ce sera le moment de parler de votre grossesse. Soyez honnête sur vos attentes et futurs plans : envisagez-vous de mettre votre enfant en crèche ? Avez-vous toujours rêvé d'avoir des enfants tout en continuant à travailler ? En France, une femme enceinte n'a pas l'obligation de déclarer la grossesse lors de l'entretien d'embauche et le médecin du travail lors de la visite médicale d'embauche, est tenu au secret professionnel. La grossesse ne peut être la cause de l'interruption de la période d'essai.

Une entreprise ne peut pas légalement discriminer à cause d'une grossesse. Si vous n'êtes pas engagée parce que vous êtes enceinte ou si l'entreprise annule son offre après que vous avez annoncé votre grossesse, vous pouvez aller devant les tribunaux (cela dit ce sera difficile à prouver.)

121

Puis-je refuser d'être juré pendant ma grossesse ?

- ☐ **a.** Oui, les femmes enceintes ne sont pas obligées d'être juré.
- ☐ **b.** Oui, si vous avez un certificat médical.
- ☐ **c.** Non, mais vous serez sans doute récusée car les avocats n'aiment pas avoir des femmes enceintes dans le box des jurés.
- ☐ **d.** Non, la cour n'acceptera pas vote grossesse comme excuse pour ne pas participer au procès.

RÉPONSE

b. La grossesse n'est pas une maladie cela n'est donc pas une excuse pour éviter d'être juré. Cela dit, si votre médecin vous fournit un certificat médical expliquant que vous ne pouvez pas faire partie d'un jury – vous êtes alitée en raison d'un col fragile, par exemple – vous serez excusée. Si vous êtes proche du terme, il peut aussi écrire une lettre précisant que votre accouchement est imminent, et que vous risquez d'accoucher en plein tribunal ! La dispense peut être demandée avant l'ouverture de la session d'assises. La commission examinera si votre demande est valable.

122

Vrai ou faux

Votre employeur est obligé de vous accorder un congé exceptionnel si vous avez de violentes nausées matinales.

RÉPONSE

Vrai. En France, les femmes enceintes peuvent s'absenter sans perte de salaire pour se rendre aux examens médicaux obligatoires pour le suivi de leur grossesse. Les dispositions pour les autres absences dues à la grossesse dépendent souvent des conventions collectives de l'entreprise, mais si votre médecin vous arrête, vous toucherez des indemnités journalières.

La durée du congé maternité est de 16 semaines, dont un congé prénatal de six semaines et un congé postnatal de dix semaines.

123

Vrai ou faux

Les métiers exigeant
une station debout prolongée
sont risqués pour la femme
enceinte lorsqu'elle est
dans le troisième trimestre
de sa grossesse.

RÉPONSE

Vrai. Selon le bilan de 29 études scientifiques portant sur plus de 160 000 femmes enceintes, le travail physique ou le travail de force augmente de 22 % les risques d'accouchement prématuré (avant la 37e semaine) et augmente de 60 % les risques d'hypertension artérielle ou de pré-éclampsie. La station debout prolongée augmente les risques d'accouchement avant terme de 26 %.

En conséquence, il est recommandé que les femmes dont le métier nécessite une station debout de plus de quatre heures par jour, arrêtent de travailler ou changent de poste à partir de la 24e semaine de grossesse, en particulier si elles ont un antécédent de fausse couche ou d'accouchement prématuré. Ce n'est malheureusement pas toujours possible. Consultez la convention collective de votre entreprise - elle peut avoir prévu ces cas - ou demander à votre patron qu'il vous confie une autre tâche (au service de la clientèle par exemple). Par ailleurs, il est possible que le médecin du travail demande des examens supplémentaires et qu'il sollicite que l'on vous change de poste. Vous ne pouvez pas vous absenter ? Faites le plus de pauses possibles, et souvenez-vous que la grande majorité des femmes qui travaillent dans l'industrie ont des grossesses normales et donnent naissance à des bébés en bonne santé.

124

Laquelle de ces professions
est dangereuse
pour une femme enceinte ?

☐ **a.** Artiste, travailleuse agricole et teinturière.

☐ **b.** Laborantine et manipulatrice radio.

☐ **c.** Professions de santé.

☐ **d.** Toutes les professions ci-dessus.

RÉPONSE

d. Bien que la plupart des femmes enceintes continuent à travailler durant leur grossesse, certains métiers peuvent présenter des risques en raison des produits utilisés :

- Produits chimiques : vapeurs de peinture, pesticides, monoxyde de carbone, peinture à l'huile peuvent être dangereux pour la croissance d'un fœtus. Recommandation : porter un masque à oxygène pendant la manipulation, éviter une exposition prolongée en particulier durant le premier trimestre.
- Radiation : les enquêtes ont prouvé qu'une exposition aux rayons X pouvait affecter le développement d'un fœtus. Recommandation : éviter le contact avec des rayons X et les radiations nucléaires en particulier durant le premier trimestre.
- Microbes : la proximité avec une personne contagieuse durant la grossesse est risquée. Recommandation : lavez-vous souvent les mains, ne vous touchez pas les yeux ni le nez ni la bouche. N'allez pas travailler si votre entreprise est touchée par une épidémie de grippe. Si vous travaillez dans le domaine médical ou dans un laboratoire, portez des gants et un masque.
- Travail physique pénible : à éviter en particulier durant le premier trimestre de grossesse, car cela augmente les risques d'hypertension, d'éclampsie et d'accouchement avant terme. Recommandation : vers la 24e semaine, demandez un changement de poste ou arrêtez de travailler. Faites des pauses fréquentes et reposez-vous.

125

Vrai ou faux

Les hommes peuvent eux aussi avoir des nausées matinales.

RÉPONSE

Vrai. Même s'ils ne portent pas le bébé, plus de 65 % des hommes éprouvent des symptômes similaires à ceux de leurs compagnes enceintes. Ces symptômes commencent environ autour du troisième mois de grossesse et se traduisent par des sautes d'humeur, une faim incontrôlable, de la fatigue, des nausées, des insomnies, une prise de poids, des crampes d'estomac, et même un ventre rond. Ce phénomène est connu : il porte le joli nom de « couvade » et de nombreuses théories sont avancées pour expliquer ce syndrome. Certains spécialistes pensent que cela se produit quand un homme programmé pour protéger sa famille réalise qu'il ne peut rien faire pour soulager ou adoucir les douleurs de sa compagne. Puisqu'il ne peut pas régler le problème, il en prendrait sa part, en souffrant des mêmes symptômes qu'elle. D'autres scientifiques suggèrent que le fait pour un homme de ressentir les symptômes de la grossesse est une marque d'engagement à l'égard de sa compagne. Des études récentes montrent que les hommes subissent d'importantes variations hormonales durant la grossesse de leur compagne. On enregistre en particulier une élévation importante du taux de prostaglandine, une hormone associée à l'allaitement et sans doute aussi avec le comportement maternel et paternel. On a aussi relevé une augmentation de l'estradiol, une forme d'œstrogène, et des taux plus bas de testostérone. Ces modifications aideraient les hommes à établir un lien avec leurs enfants et à s'impliquer dans leur éducation.

126

Laquelle de ces affirmations est vraie ?

☐ **a.** La grossesse vous rend plus distraite.

☐ **b.** La grossesse vous rend muette.

☐ **c.** La grossesse vous rend plus intelligente.

☐ **d.** Aucune des affirmations ci-dessus n'est vraie.

RÉPONSE

C. La *momnesia*, que certaines appellent l'« amnésie de la grossesse » ou encore les absences, distractions ou pertes de mémoire de la femme enceinte, est un mythe. C'est ce qui ressort d'une étude parue en 2008 et portant sur 1 241 femmes enceintes ou venant d'accoucher. Les scientifiques leur ont fait passer une série de tests cognitifs, d'abord en 1999, puis de nouveau en 2004 et 2008. Ils n'ont pas trouvé de différence sur le plan des capacités cérébrales entre la période où elles étaient enceintes et les années suivantes.

Si la grossesse ne vous fait pas perdre la mémoire, elle peut, en revanche, vous rendre plus intelligente et plus vive d'esprit. Des études menées sur les animaux ont prouvé que les femelles enceintes étaient plus courageuses, avaient une meilleure perception spatiale, et étaient plus de cinq fois plus rapides pour attraper leur proie que les femelles qui ne l'étaient pas.

Alors d'où ce mythe des absences et distractions de la femme enceinte vient-il ? Sans doute de la fatigue et du manque de sommeil. Passer une bonne nuit est difficile durant la grossesse en raison des fluctuations hormonales et du ventre qui s'arrondit. Il est aussi possible que votre esprit soit tellement centré sur votre bébé que vous ayez un peu de mal à vous souvenir de l'endroit où vous avez garé votre voiture !

127

Vrai ou faux

Un flot de liquide inondant votre entrejambe est le signe infaillible que le travail est sur le point de commencer.

RÉPONSE

Faux. Des sous-vêtements subitement trempés peuvent signifier que vous venez de perdre les eaux... ou que vous avez une fuite urinaire. Comment faire la différence ?

Voici quelques indices :

- *Durée* : si la perte de liquide se poursuit sur une période assez longue, c'est sans doute une rupture de la poche des eaux car le pipi s'arrête quand la vessie est vide.
- *Odeur et couleur* : le liquide amniotique est en général clair et inodore (bien qu'il puisse être légèrement salé).
- *Intensité* : si le liquide a traversé vos vêtements et continue à couler même après que vous vous soyez changée, c'est du liquide amniotique. Voici un test efficace : changez vos sous-vêtements, et allongez-vous 30 minutes. Si en vous levant vous sentez couler un flot de liquide, il est hautement probable que votre poche des eaux s'est rompue.
- *Consistance* : si vous suspectez une rupture de la poche des eaux alors que vous étiez en train de faire pipi, ce qui se produit couramment, vérifiez son aspect et sa consistance, le liquide amniotique a une apparence huileuse et contient des tâches blanches.

Et prévenez aussitôt votre médecin dès lors que vous suspectez une rupture de la poche des eaux.

128

Pourquoi un miroir est-il utile dans une salle d'accouchement ?

☐ **a.** Voir apparaître la tête du bébé vous donnera envie de pousser.

☐ **b.** Voir ce que font les médecins vous mettra à l'aise.

☐ **c.** Se contempler soi-même dans les affres de l'accouchement sera rassurant.

☐ **d.** Voir l'action sous un autre angle vous distraira de votre souffrance.

RÉPONSE

a. Pour certaines femmes, voir la naissance de leur bébé est une chose qu'elles ne voudraient manquer pour rien au monde, pour d'autres c'est une vision « sanglante » et crue qu'elles préféreraient ne pas regarder. Cela dit, être le témoin du moment précis où la tête de votre bébé apparaît est tellement extraordinaire que cela peut aider à dépasser le côté « gore » et cela peut aussi vous motiver pour pousser surtout après un long et épuisant travail. Si cette idée ne vous séduit pas, votre médecin ou votre sage-femme peuvent guider vos mains pour que vous touchiez la tête de votre bébé lorsque celle-ci apparaît. N'hésitez pas à dire ce que vous souhaitez, ou pas, voir.

129

Comment éviter de faire caca sur la table d'accouchement ?

- ☐ **a.** Rien. Faire caca en accouchant est courant, vous ne serez pas la première ni la dernière !
- ☐ **b.** Demandez à votre médecin ou à la sage-femme la pose d'un bouchon anal pendant la délivrance.
- ☐ **c.** Prenez un laxatif quotidiennement pendant les trois dernières semaines de grossesse pour nettoyer vos intestins.
- ☐ **d.** Faire caca en accouchant est un mythe ! Cela n'arrive que très rarement.

RÉPONSE

a. La poussée au moment de l'accouchement ressemble à celle qui se produit lorsque vous allez à la selle. En fait, la plupart des praticiens considèrent que c'est une bonne chose que les femmes défèquent pendant le travail car cela prouve qu'elles poussent correctement. Il se peut aussi que vous pétiez, et oui ! Si la perspective de déféquer vous gêne beaucoup, augmentez votre régime alimentaire en fibres et buvez beaucoup d'eau pour réduire le volume de vos selles. Prendre un léger laxatif (que l'on trouve dans certaines vitamines prénatales) pendant votre grossesse en particulier durant le dernier trimestre peut aussi être une solution. Vous pouvez également prendre un lavement dès que le travail commence. Autrefois, c'était une pratique courante afin d'éviter aux femmes la honte de déféquer en face de leurs médecins. Si vous avez le temps entre les contractions, faites-le, sinon vous pouvez aussi le demander en arrivant à l'hôpital mais sachez que beaucoup de médecins refusent cette pratique qui peut entraîner une déshydratation et rendre le travail plus difficile. Quoi qu'il en soit, vous ne serez pas la première et dites-vous que ce sera nettoyé avant que vous ne vous en soyez aperçue.

130

Qu'est-ce qui peut déclencher le travail ?

- ☐ **a.** Mettre la tête en bas.
- ☐ **b.** Se masser les seins.
- ☐ **c.** Écouter un air d'opéra.
- ☐ **d.** Regarder une vidéo où un accouchement est filmé.

RÉPONSE

b. Vous ne pouvez pas faire grand-chose pour provoquer l'accouchement : si votre médecin décide de déclencher l'accouchement, cela se fera sous surveillance médicale à l'hôpital. Votre corps commencera le processus quand il sera prêt. Mais s'il est prêt et que votre bébé n'a pas entendu le message, voici quelques conseils :

- *Massage des seins* : d'après la croyance populaire, cela déclencherait l'accouchement, toutefois les médecins estiment qu'il faudrait des heures de massage quotidien pour déclencher l'action.
- *Faire l'amour sans préservatif* : le sperme contient les mêmes hormones que celles qui sont injectées lors d'un accouchement déclenché médicalement. Faire l'amour est à éviter toutefois si vous avez perdu les eaux car il y a alors un risque d'infection pour le bébé.
- *Marcher* : si vos contractions sont encore supportables, la marche peut être un bon moyen de démarrer l'action.
- *Acupuncture/acupressure* : deux points sont susceptibles de provoquer des contractions dans l'utérus, l'un est situé sur la face interne de votre mollet, environ 5 cm au-dessus de votre cheville, et l'autre est situé dans l'espace entre l'index et le pouce. Pour stimuler ces deux points, pincez-les ou frottez-les selon un mouvement circulaire, pendant 30 à 60 secondes. Attendez quelques minutes et recommencez.

Quiz
spécial
femmes
enceintes

131

A quel âge est né
le plus grand prématuré
du monde ?

- ☐ **a.** Avec 74 jours d'avance.
- ☐ **b.** Avec 110 jours d'avance.
- ☐ **c.** Avec 128 jours d'avance.
- ☐ **d.** Avec 156 jours d'avance.

réponse : c

132

À quel moment le cœur du bébé commence-t-il à battre ?

☐ **a.** Au moment de la conception.

☐ **b.** Pendant la 1ère semaine de grossesse.

☐ **c.** Pendant la 5e semaine de grossesse.

☐ **d.** Pendant la 12e semaine de grossesse.

réponse : c

133

Combien de kilos un homme prend-il en moyenne durant la grossesse de sa compagne ?

- ☐ **a.** 2,5 kg.
- ☐ **b.** 7 kg.
- ☐ **c.** 10 kg.
- ☐ **d.** 15 kg.

réponse : b

134

À quel âge de la vie prénatal, peut-on déterminer si l'enfant sera droitier ou gaucher ?

- ☐ **a.** Pendant la 12ᵉ semaine de grossesse.
- ☐ **b.** Pendant la 25ᵉ semaine de grossesse.
- ☐ **c.** Pendant la 34ᵉ semaine de grossesse.
- ☐ **d.** Pendant l'enfance.

réponse : b

135

Quel est le pourcentage de femmes enceintes soufrant de vergetures ?

- ☐ **a.** 10 %.
- ☐ **b.** 25 %.
- ☐ **c.** 75 %.
- ☐ **d.** 90 %.

réponse : d

136

Quel est le pourcentage
de bébés naissant à terme ?

- ☐ **a.** 1 %.
- ☐ **b.** 5 %.
- ☐ **c.** 8 %.
- ☐ **d.** 10 %.

réponse : b

137

Quel poids le plus petit bébé viable au monde pesait-il à la naissance ?

- ☐ **a.** 71 grammes.
- ☐ **b.** 244 grammes.
- ☐ **c.** 269 grammes.
- ☐ **d.** 343 grammes.

réponse : b

138

Vrai ou faux

Les primipares accouchent en général après terme.

réponse : vrai

139

Quel est le pourcentage de bébés ayant une mère célibataire ?

- ☐ **a.** 20%.
- ☐ **b.** 40%.
- ☐ **c.** 60%.
- ☐ **d.** 75%.

réponse : b

140

Quel est le pourcentage
de femmes enceintes
qui travaillent pendant
leur grossesse ?

☐ **a.** 25%.

☐ **b.** 42%.

☐ **c.** 67%.

☐ **d.** 82%.

réponse : c

141

Vrai ou faux

Il y a plus de naissances de garçons que de filles.

réponse : vrai

142

Quels sont les mois
où on enregistre le plus
de naissances en France ?

- ☐ **a.** De juillet à septembre.
- ☐ **b.** De mars à mai.
- ☐ **c.** De décembre à février.
- ☐ **d.** D'octobre à décembre.

réponse : a

143

Quel est le jour de la semaine où l'on enregistre le plus de naissances en France ?

☐ **a.** Lundi.

☐ **b.** Mardi.

☐ **c.** Jeudi.

☐ **d.** Dimanche.

réponse : b

144

Quel est l'âge moyen des Françaises pour leur première grossesse ?

- ☐ **a.** 21 ans.
- ☐ **b.** 25 ans.
- ☐ **c.** 27 ans.
- ☐ **d.** 29 ans.

réponse : b

145

Quel est le pourcentage
de grossesses non désirées
en France ?

- ☐ **a.** 22%.
- ☐ **b.** 48%.
- ☐ **c.** 62%.
- ☐ **d.** 80%.

réponse : b

146

Quel est le pourcentage de naissances par césarienne en France ?

- ☐ **a.** 10 %.
- ☐ **b.** 20%.
- ☐ **c.** 32%.
- ☐ **d.** 45%.

réponse : c

147

Quel sens peut-il être altéré pendant la grossesse ?

- ☐ **a.** Le goût.
- ☐ **b.** L'odorat.
- ☐ **c.** La vue.
- ☐ **d.** Les trois sens cités ci-dessus.

réponse : d

148

Quelle est la prise de poids moyenne d'une femme enceinte pendant la grossesse ?

- ☐ **a.** 7,5 kg.
- ☐ **b.** 10 kg.
- ☐ **c.** 15 kg.
- ☐ **d.** 20 kg.

réponse : c

149

Quel est le plus grand nombre d'enfants nés chez une femme ?

☐ **a.** 16.

☐ **b.** 34.

☐ **c.** 69.

☐ **d.** 78.

réponse : c

150

Malgré les risques que
le tabac fait courir au fœtus,
combien de femmes
françaises fument-elles
pendant leur grossesse ?

- ☐ **a.** 45%.
- ☐ **b.** 25%.
- ☐ **c.** 15%.
- ☐ **d.** 10%.

réponse : d

Index

Et pour la suite...

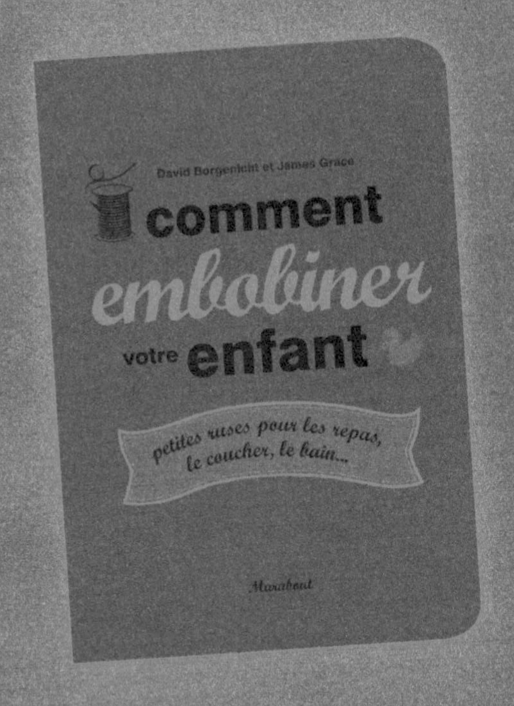

Attention : les conseils prodigués dans cet ouvrage sont à prendre avec prudence, seul votre médecin vous donnera des réponses adaptées à votre cas, garantissant votre pleine sécurité.

Quirk Books
215 Church Street
Philadelphia, PA 19106
www.quirkbooks.com

Traduction : Caroline Balma-Chaminadour

Avec la collaboration d'Isabelle Guilhamon.

Les droits de traduction de cet ouvrage ont été négociés par l'agence littéraire Sea of stories, www.seaofstorie.com (sidonie@seaofstories.com)

Imprimé en Espagne par Macrolibros
Dépôt légal : janvier 2012
ISBN : 978-2-501-07370-7
Codif. : 40.6986.0/02